KB176689

중독을 이긴 사람들

중독을
이긴
사람들

박우관 지음

지름길

PROLOGUE

내 아버지는 알코올 중독으로 세상을 떠나셨다. 그 유전자를 고스란히 물려받은 내 삶도 평탄하지 않았다. 이른 나이에 알코올 중독이라는 수렁에 빠진 나는 하루하루 젊음을 탕진하며 꿈도 미래도 없는 폐인의 삶을 살았다.

한 치 앞도 보이지 않는 암흑천지의 수렁에서 나를 건져 올린 건 하나님의 부르심이었다. 그것은 실로 기적과도 같은 일이었다. 하나님은 술의 늪에 빠져 허우적대는 나를 보듬어 주시고 내 평생의 소명을 일깨워 주셨다. 하나님의 은혜와 부르심이 없었다면 지금의 나는 없었을 것이다. 끝끝내 술에서 해방되지 못하고 인생의 밑바닥을 헤매다가 비참한 말로를 맞이했을지도 모른다.

지금 나는 이십여 년째 알코올 중독자들을 돕는 일을 하며 살아가고 있다. 강산이 두 번 넘게 바뀌는 동안 상상조차 할 수 없는 힘든 일들을 많이 겪었다. 하지만 나의 소명을 결코 포기할 수 없었다. 이 일은 하나님의 부르심과 큰 은혜에 응답하는 유일한 길일 뿐 아니라, 알코올 중독으로 고통 받는 이들과 함께 할 수 있는 내 인생의 진정한 비전이기 때문이다.

지난 이십여 년 간, 나는 참으로 많은 알코올 중독자와 그 가족들을 만났다. 그들을 볼 때마다 새삼스레 느끼는 것은 '알코올 중독은 이 지구상에서 가장 불행하고 고통스러우며 무서운 병'이라는 사실이다. 그러나 우리 사회는 놀라울 정도로 술에 대해 관대하고 알코올 중독의 폐해에 대해 둔감하다. 알코올 중독은 한 인간을 뼛속까지 망가뜨리는 불행의 원천일 뿐만 아니라 한 가정과 그 주변까지 파괴하는 망국의 병이다.

이 책은 지난 이십여 년 간의 경험과 깨달음을 바탕으로 한 것이다. 물론 나는 알코올 중독에 대해 풍부한 식견과 체계적인 이론을 갖춘 전문가는 아니다. 그러나 나의 소명은 전문지식을 설파하는 데 있는 것이 아니라 지난 세월 내가 느끼고 경험하고 깨달은 것들을 술로 고통 받는 이들에게 나누어주는 데 있다고 생각한다.

책을 내겠다고 결심한 것은, 술에 깃든 비극적인 어둠을 드러내기 위해서는 내가 경험한 시간을 있는 그대로 세상에 알릴 필요가 있다는 생각에서였다. 우리 국민들에게 알코올 중독자들의 아픔과 불행한 현실, 술의 위험성을 알려야 한다는 절박한 사명감으로 집필을 시작했지만, 그 과정은 험난하기만 했다. 나 역시 과거 알코올 중독의 후유증으로 기억장애를 앓고 있는 탓에, 한 줄 한 줄 써내려갈 때마다 불완전하고 흐릿한 기억과 사투를 벌여야 했기 때문이다.

결과적으로 얼마나 정확한 기록이 되었는지 100% 장담할 수는 없지만 최대한 진실하고 솔직하게 기록했다는 점만은 밝혀 두고 싶다. 이 책에서 언급된 사람들은 사생활 보호를 위해 대부분 가명을 사용했다. 특별히 '술 바로알기' '알코올 중독 바로알기'를 제공해주신 한국기독교 알코올문제연구소 안성희 소장님께 깊은 감사를 드린다.

진솔하게 쓰려고 노력은 했지만 탈고하며 다시 읽어 보니 여러모로 부끄럽고 아쉬움이 남는다. 모쪼록 이 한 권의 책이 알코올 중독에 대한 세상의 경각심을 높이고, 술로 인해 고통 받는 사람들을 위로하고 일으켜 세우는 데 작은 밀알이 된다면 더 이상 바랄 것이 없겠다. 우리 국민이 더는 음주로 인해 피해 보는 일이 없기를 바라는 마음으로 이 글을 마친다.

박 우 관

목차

1장 알코올 중독을 넘어

2장 강도 만난 사람들

3장 금주훈련원

4장 음주 예방과 대책

5장 술 바로알기

6장 알코올 중독 바로알기

1장

알코올 중독을 넘어

헌병대 영창

나는 서울 동대문구 용두동에서 태어나 세 살 때 부모님을 따라 양평으로 이주했다. 비록 태어난 곳은 용두동이지만, '고향' 하면 언제나 '양평'이 떠오르는 건 내 어린 날의 기억이 진하게 남아 있기 때문일 것이다.

부모님은 슬하에 5남 2녀를 두셨으나, 끝까지 살아남은 건 다섯째인 나를 포함한 3남 1녀였다. 둘째 형은 내가 태어나기도 전에 죽었고, 내 바로 밑 남동생과 여동생도 영양실조로 어린나이에 유명을 달리하고 말았다. 너 나 할 것 없이 배곯고 가난했던 시절이었지만, 아버지 이야기를 하지 않을 수 없다.

술을 좋아하셨던 아버지는 알코올 중독으로 용두동 시절에 이미 모든 것을 탕진하셨고, 고향인 양평으로 돌아와 화전을 일궈 생활을 이어 나가셨다. 그때 내 밑으로 젖먹이 동생들이 있었다. 일은 지독히 고되고 먹을 것마저 없으니 어머니 젖이 제대로 나올 리가 없었다. 결국 먹일 것이 없어서 젖먹이 동생들을 잃어버리고 말았다.

허망하게 세상을 떠난 남동생을 생각하면 지금도 눈물이 난다. 내가 아홉 살 때의 일이다. 어느 날, 어머니는 내게 계란을 쥐어 주며 가게에 가서 설탕으로 바꾸어오라고 심부름을 시키셨다. 가게는 집에서 5리쯤 떨어진 곳에 있었다.

가게에 가서 설탕을 바꾸는 데까지는 아무 문제가 없었다. 설탕을 들고 오는 길이 문제였다. 그 눈처럼 하얗고 달콤한 설탕이 얼마나 먹고 싶었던지 자꾸만 입에 침이 고였다. 혹시나 설탕 알갱이가 한두 개 묻어 있지 않을까 봉지에 혀를 대 보았지만 아무 맛도 느껴지지 않았다. 결국 나는 그 달콤한 유혹을 이기지 못하고 설탕 봉지

귀퉁이를 조금 뜯고 말았다.

조금만 맛볼 요량으로 혀끝에 살짝살짝 댔다고만 생각했는데 집 앞에 도착해 정신을 차려 보니 설탕 한 봉지가 거의 비어 있었다. 어머니한테 혼날 것을 생각하니 정신이 아뜩했다. 내 딴에는 머리를 굴린답시고 빈 봉지에 물을 타가지고 들어갔으니, 그걸 본 어머니가 얼마나 기가 막히셨을까. 그날 어머니한테 얼마나 혼이 났던지 지금도 그 생각만 하면 쓴웃음이 나온다.

내 동생은 그 후 며칠을 살지 못하고 세상을 떠났다. 그 날 내가 설탕을 먹지 않았다면 내 동생은 죽지 않았을지도 모른다. 그때 내 나이 고작 아홉 살! 철없는 시절이건만, 그 날의 일은 영원히 지워지지 않을 아픔이 되었다. 지금도 그때 일을 생각하면 가슴이 저리고 하염없이 눈물만 흐른다. 흐르는 눈물 속에 떠오르는 그 시절 내 어머니 아버지의 모습은 내 마음 깊은 곳에 아릿한 슬픔으로 남아 있다.

아버지는 술만 드시면 으레 소리를 지르시고 어머니를 힘들게 하셨다. 아버지는 어릴 때 친구와 간지럼 놀이를 하다가 뭐가 잘못되었는지 평생 딸꾹질 소리를 하셨는데, 술만 마시면 그 소리가 더욱 커서 어린 나를 두렵게 하곤 했다. 늘 술에 취해 가정불화를 일으키는 아버지 때문에 내 위의 형과 나는 불안과 두려움 속에서 성장했던 것 같다. 결국 아버지는 알코올 중독으로 쉰 셋이라는 나이에 세상을 떠나시고 말았다.

내가 비뚤어지기 시작한 것은 중학교 때부터였다. 중학생이 된 뒤부터 담배를 피우기 시작한 나는 이웃집 형을 따라 교회를 다니다 술을 배우기 시작했다. 이웃집 형은 당시 교회에 나오는 어느 여학생을 좋아했는데, 늘 나에게 연애편지를 전해 주라고 심부름을 시켰다. 그 심부름의 대가가 바로 포도주였다. 주일예배가 끝나면 그 형은 마을회관에서 포도주를 사서 내게 마셔 보라고 권하곤 했다. 달착지근하면서도 짜릿한 맛이 어린 나의 기분을 참 좋게 만들었던 기억이 난다.

어린 시절에 누구나 한번쯤은 어른들이 장난으로 권하는 술을 입에 댄 기억이 있을 것이다. 대부분의 어린아이들은 호기심에 술잔을 입에 댔다가도 혀끝에 닿는 알코올의 느낌에 인상을 찌푸리곤 한다. 그러나 아버지의 유전자를 물려받은 나는 술에 대한 반응이 다른 아이들과는 확연히 달랐다. 처음 접하는 술임에도 아무런 거부감이 없었고, 마신 뒤에 붕 뜬 듯한 기분이 좋기만 했다. 이렇게 시작한 술이 내 인생을 얼마나 망가뜨릴지 그때는 상상조차 할 수 없었다.

1979년 4월 3일, 나는 의정부 101 보충대로 입대하였다. 입대 전날에는 의정부까지 함께 와 준 몇몇 친구들과 밤새도록 코가 삐뚤어지게 술을 마셨다. 하지만, 바짝 긴장한 탓인지 그 어느 때보다 정신이 맑고 명료했다.

보충대에서 받는 교육은 신체검사와 암기 사항 등 기본적인 것들이었다. 기본 교육이 끝나면 신병교육대로 정식 편성이 된다. 이때 전방으로 가느냐, 후방으로 가느냐가 모든 훈련병들의 초미의 관심사였다. 당시 훈련병들 사이에는 '관광버스를 타면 전방으로 가고, 트럭을 타면 후방으로 간다.'는 정보가 돌았다. 그것이 뜬소문이 아니라는 사실을 확인하는 데는 그리 많은 시간이 걸리지 않았다.

보충대 교육을 마치고 대기하고 있는데 느닷없이 "아!" 하는 탄식 소리가 여기저기에서 들렸다. 고개를 들어보니 관광버스가 들어오고 있었다.

'올 것이 왔구나…….'

나는 체념한 얼굴로 관광버스에 올랐다. 버스를 타고 38선 휴게소를 지나 한참을 달려가다 보니 허연 해골바가지가 눈에 들어왔다. 백골 부대를 상징하는 백골상이었다. 백골상을 보는 순간 온몸에 소름이 쫙 끼치면서 지옥으로 들어가는 듯한 으스스한 기분이 들었다. 훈련병 동기들 모두 숨을 죽이고 멍하니 창밖만을 주시하고 있었다.

잠시 후 우리를 태운 관광버스는 연병장에 멈춰 섰다. 해골이 그려진 하이바를 쓴 조교들이 살벌한 눈빛을 레이저처럼 쏘아 대며 우리에게 다가왔다. 조교들의 눈빛을 보니 '이제는 죽었구나!' 하는 생각이 절로 들었다. '백골 부대'라는 별칭으로 더 많이 알려진 3사단은 6·25 당시 38선을 최초로 돌파한 부대로서 자부심이 강하고 군기가 엄하기로 유명한 부대였다.

조교들은 차에서 내리는 훈련병들을 향해 무시무시한 말들을 쏟아내며 군기를 잡기 시작했다.

"이제부터 너희를 아작아작 씹어 먹겠다."

"너희의 배때기에 낀 기름기를 모조리 빼 버리겠다."

저승사자 같은 조교들의 말에 얼음이 된 훈련병들은 각자 더블백을 어깨에 맨 채 정신없이 연병장을 달리고 또 달렸다. 지옥 같은 8주 훈련의 첫날이 그렇게 흘러가고 있었다. 당시 우리가 받은 훈련과 교육이 그리도 엄했던 것은 그 사단에서 신병교육대가 처음 생겼기 때문이라고들 했다.

8주의 고된 훈련을 마치고 드디어 자대 배치를 받게 되었다. 내가 배치 받은 곳은 3사단 최전방에 있는 GOP 부대였다. 강원도 철원에 있는 이 부대의 특징은 6개월간 철책 근무를 하고 6개월은 후방에 나와 교육을 받는다는 점이었다.

당시 3사단 사단장은 박세직 사단장이라는 분이었다. 박세직 사단장은 철원 주민에게도 신망이 두터웠고 군 장병에게도 존경받는 지휘관이었다. 무엇보다 신앙심이 깊어서 사단장으로 부임하자마자 평화와 통일을 염원하는 십자가 탑을 세우고, 각 소대까지 군종

사병을 두는 등 신앙인들의 롤모델이라 할 만한 분이었다.

마침 우리 소대에서도 소대 군종을 뽑게 되었다. 우리 소대에서는 주일학교 출신인 나를 포함해서 두 사람이 기독교인이었다. 소대장은 우리 두 사람을 부르더니 사도신경 주기도문을 암송해 보라고 지시했다. 다른 사병이 살짝 당황한 것 같아 내가 먼저 암송을 시작했다.

"전능하사 천지를 만드신 하나님 아버지를 내가 믿사오며……."

어릴 적 주일예배 때마다 암송했던 기도문이 자연스럽게 내 입에서 흘러나왔다. 또 다른 사병도 곧 정신을 차리고 큰소리로 암송을 하였으나 소대장은 내가 더 잘했다며 나를 선택했다. 나는 곧 13중대 화기소대 군종이 되었다.

소대 군종이 하는 일은 크게 두 가지였다. 철책 근무 투입 전에 기도하는 일이 첫 번째 임무였고, 일요일마다 중대 군종병의 인솔로 부대에서 6km 정도 떨어진 민가 교회에 가서 예배를 드린 후 교회에서 정성껏 준비한 점심을 먹고 돌아오는 것이 두 번째 임무였다. 그 일 자체는 어려울 것이 없는 단순한 임무였고 매주 민가를 나온다는 것은 대단한 특혜였다.

그러나 문제는 거기서부터 불거지기 시작했다. 교회 근처에 있는 구멍가게 하나가 내 눈에 들어온 순간 예배고 뭐고 그저 술 생각만이 간절했던 것이다. 나는 교회에 가면 군종병들 총을 한 군데 세워 놓고는 기도 시간마다 살짝 빠져나왔다. 그리고 가게에 들어가 소주 서너 병을 사서는 타는 목을 달래기 위해 우선 한 병을 단번에 마셨다. 남은 술은 예배가 끝난 뒤 수통과 야전잠바에 몰래 숨겨 소대원들에게 가져다주곤 했다.

그런 나의 모습은 결코 군종의 모습이 아니었지만, 소대에서 나의 인기는 하늘을 찌를 듯했다. 고참병들도 용감하게 술을 가지고 들어온 나를 아껴 주고 띄워주었다. 군대에서 술 마시는 일쯤이야흔한 일 아니냐고 반문하는 분도 있겠지만, 당시 최전방 철책 부대에서 술을 마신다는 것은 현실적으로 거의 불가능한 일이었다. 어찌 보면 북파 요원으로 철책선을 넘는 것보다 더 어려운 임무일 수도 있었다. 나는 소대원들의 열망과 고참병들의 기대에 부응하기 위해 매주 교회에 갈 때마다 술을 숨겨가지고 들어왔고, 소대원들은 그런 나를 중요한 미션을 성공시키고 돌아온 비밀요원을 맞이하듯 열렬히 환대하곤 했다.

그렇게 시작된 나의 군 생활은 초지일관 술과 연결돼 있었다. 나의 음주는 점점 과감해지기 시작했다. 나는 보초를 서다가도 술 생각이 나면 근무지를 이탈해 술을 사 오곤 했다. 그야말로 '안 걸리면 천국이요, 걸리면 지옥'인 아슬아슬한 나날이었다.

철원의 농번기는 모내기로 무척 바쁘다. 그래서 해마다 농사철이 되면 부대에서 대민지원 사역병을 뽑는데, 나는 대민지원 선착순 1위 사병이었다. 대민지원 사역병에게는 술 마실 기회가 충분히 주어지기 때문이다. 결국 농번기에 대민지원을 나가면서 사단이 벌어졌다. 음주로 사고를 치고 만 것이다. 설상가상으로 얼마 후엔 고참병을 폭행하여 군기 교육대에 가게 되면서 끝내는 문제 사병으로 전락하고 말았다.

그 후 나의 군 생활은 음주로 말미암은 사건사고의 연속이었다. 휴가를 가도 술을 마시고 사고를 쳐서 군대영창에 끌려갔고, 제대하는 날까지 음주로 인한 말썽이 끊이지 않아 군기 교육대와 사단 영창을 여러 번 들락날락했다.

술이 문제였다.

정말 지독한 문제였다.

그때나 지금이나 내 모든 실수, 나로 말미암은 모든 사건의 중심에는 '술'이 있었다.

술에 대한 무지와 잘못된 사랑이 빚어 낸 참담한 결과였다.

어느 날, 갑자기 훈련단으로 전출 명령이 떨어졌다. 훈련단은 당시 예비군 동원사단으로, 대부분 각 사단의 문제 사병들로 차출하여 만든 창설부대였다. 결국 나는 문제 사병으로 3사단에서 쫓겨나는 신세가 된 것이다. 다른 무엇보다 그동안 함께 생활하면서 정든 소대원들과 헤어지는 아픔을 견디기 힘들었다.

훈련단으로 전출된 나는 위병소 근무를 맡게 되었는데, 아이러니하게도 그 자리는 쉽게 술을 접할 수 있는 자리였다. 늘 술을 마시면서 군 생활을 해 온 내게는 반가운 일이었지만, 그만큼 사고가 일어날 확률도 높아질 수밖에 없었다.

급기야 1982년 1월, 나는 술을 잔뜩 마시고 대형 사고를 치고 말았다. 제대 날짜를 불과 닷새 남겨놓고 일어난 일이었다. 군대에서 일어날 수 없는 도저히 용납이 안 되는 사고였다. 부대를 무단이탈하여 술을 잔뜩 마시고 보초병을 폭행하고 상관을 폭행한 사건이었다. 사건이 워낙 컸던지라 제대 특명은 취소되었고, 나는 위병소와 멀지 않은 헌병대 영창으로 끌려갔다.

마침, 내 친구 영식이가 헌병대 고참병으로 근무하고 있을 때였다. 헌병대 간부가 퇴근하면 나는 헌병대 왕고참인 영식이의 배려로 자유스럽게 움직일 수 있었다. 영식이는 수심에 잠긴 내게 조심스럽게 말했다.

"마음 독하게 먹어라. 내가 좀 알아봤는데 아무래도 남한산성 육군교도소에서 칠 년 정도는 살 것 같다고 하더라."

"칠 년……? 차라리 죽는 게 낫지!"

너무나 괴롭고 후회스러웠다. 제대도 제 날짜에 못하고 영창이라니, 창피도 하고 정말 죽고 싶었다. 헌병대 영창에 있으면서 나는 늘 죽음을 생각했다.

'술 때문에 결국 내 인생은 끝나는구나. 남한산성 육군교도소에 들어가 병신이 되느니 차라리 죽자…….'

헌병대에 갇혀 있는 내 머릿속은 자살 생각으로 가득했다. 사실 마음만 먹으면 얼마든지 위병소에 있는 내 총을 가지고 나갈 수 있는 상황이었다.

'그래, 죽어 버리자! 술이나 실컷 마시고 방아쇠를 당겨 버리자!'

머릿속으로 치밀하게 실행 계획을 짜던 어느 날이었다. 문득 주일학교 다니면서 들었던 '자살하면 지옥에 간다.'는 끔찍한 말이 생각났다. 당면한 현실이 괴로워서 죽으려고 하는데, 죽음보다 괴로운 지옥에 떨어진다면 그땐 어떻게 해야 할까. 뜻밖의 고민에 빠진 나는 몇날 며칠 잠을 이루지 못하고 생각을 거듭하다가 결국 자살을 포기하고 말았다. 한 치 앞도 알 수 없는 극도로 불안한 상황이었지만, 내가 저지른 일의 결과를 회피하지 말고 담담히 받아들이자는 게 나의 결론이었다.

다행히 나의 사건은 훈련단 자체에서 마무리하는 것으로 일단락되었다. 나의 사건이 군단으로 넘어가면 훈련단장과 몇몇 지휘관들이 옷 벗을 각오를 해야 한다는 부담감도 작용한 듯했다. 하나님이 나를 도우셨던 것이다. 그렇게 해서 사고가 생긴 지 스무닷새 만에 헌병대 영창을 나온 나는, 드디어 삼십사 개월의 파란만장한 군생활을 마치고 집으로 돌아오게 되었다.

이제 와서 수십 년 묵은 이야기를 털어놓는 것은 최전방 철책 부대에서 용감하게 술을 마셨다는 자랑을 하기 위함이 아니다. 어떻게 하면 군에서 마음껏 술을 마실 수 있는지 그 용기를 전해 주기 위함은 더더욱 아니다.

내 인생에서 술은 누구보다 가까운 친구였고, 절실히 의지하는 존재였으며, 나아가 사랑하는 대상이었다. 나는 늘 술을 가까이 두고 의지하였으며, 온 마음으로 사랑하였다. 그리고 그 잘못된 사랑에 대한 혹독한 대가를 치렀다. 다시 말하면 나는, 내가 술을 버릴 충분한 자격을 지닌 사람이라는 것을 이 책을 읽는 모든 이들에게 피력하고 싶은 것이다.

폐결핵 말기

고향으로 돌아온 나는 목장을 하는 형님들을 도우며 시간을 보냈다. 매일 경운기 한 대분의 꼴을 베고, 소똥을 치우는 것이 당시 내가 맡은 일이었다. 군대 말년에 겪은 험한 일을 잊고 지친 심신을 달래는 데 이보다 적당한 일은 없을 듯했다.

나는 몸에 베는 소똥 냄새도 아랑곳없이 즐겁게 일했다. 내게는 유일한 낙인 술이 있었다. 맡은 일을 후다닥 해놓고 저녁에 술 마실 생각을 하면 아무리 고된 일도 힘든 줄을 몰랐다. 형님들의 목장 일은 나날이 번창하고, 내 마음에도 봄이 오고 있었다.

봄기운이 완연한 어느 날, 동네에서 웬 젊은 여자와 마주쳤다. 처음 보는 낯선 얼굴이었다. 촌에서 보기 힘든 단정하고 세련된 옷차림, 싱그러운 미소에 자꾸 눈이 갔다. 뉘 집에 놀러온 손님이거니 생각했는데, 알고 보니 우리 바로 아랫집에 이사를 와서 살고 있었다.

부쩍 관심이 일었다. 대체 무슨 사정으로 젊은 여자가 이 촌구석에 둥지를 틀었을까. 결혼은 했을까. 의문은 곧 풀렸다. 그녀는 얼마 전까지 서울에서 유치원을 운영했다고 한다. 그러던 어느 날, 신림동 왕성교회가 우리 동네에 기도원을 건립했다는 소식을 듣고 기도드리러 왔다가 버스에서 우연히 우리 동네 목사님을 만나게 되었다. 결국 그녀는 목사님의 간곡한 요청을 외면하지 못하고 시골교회에서 선교유치원을 하기 위해 우리 동네에 정착하게 된 것이다.

시골에서 술이나 마시고 소똥이나 치우면서 아무 생각 없이 세월을 보내던 내 마음에 훈풍이 불었다. 나는 온종일 그녀만을 생각하며 시간을 보냈다. 하루가 어떻게 지나가고 날이 밝는지도 몰랐다. 급기야 그녀 생각에 밤에도 잠을 이루지 못할 지경이었다.

그러나 그것은 내 마음속의 풍경일 뿐 현실의 나는 그녀에게 한 마디도 건네지 못하는 겁쟁이였다. 매일 밤, '내일은 무슨 말이든 건네 보리라.' 다짐해 보지만 정작 그녀를 만나면 입이 얼어붙은 듯 아무 말도 할 수가 없었다. 결국은 술의 힘을 빌릴 수밖에 없었다.

어느 날, 나는 술을 마시고 용기를 내어 그녀에게 접근했다. 선교유치원 선생과 자연스럽게 대화를 이어가기 위해서 가장 적절한 화제는 역시 교회 이야기였다. 나는 어디선가 주워들은 다른 사람의 간증 이야기를 마치 나의 체험담인양 그럴 듯하게 포장해서 그녀에게 들려주었다. 순진한 그녀는 내가 거짓으로 꾸며낸 간증담을 곧이곧대로 믿는 눈치였다. 사랑하는 여인에게 거짓말로 접근했다는 생각에 못내 양심이 찔렸지만, 그녀를 사랑하는 내 마음만은 진심이었다.

그녀와 대화를 튼 나는 계속해서 그녀의 환심을 사기 위해 무진 애를 썼다. 유치원에서 소풍을 가는 날이면 아이들을 경운기로 소풍 장소까지 태워다주기도 했고, 잣을 한 바구니 따서 부엌에 두고 오거나 물고기를 잡아다 주기도 했다. 노력의 결실이었을까? 나의 간절한 바람대로 우리는 조금씩 가까워지기 시작했고, 결국 우여곡절 끝에 결혼식을 올리게 되었다.

아내의 집안은 술을 마시는 사람이 없었다. 그런 아내가 나를 선택했다는 것이 불가사의한 일이지만, 달리 생각하면 바로 그 때문에 술 한 잔 멋지게 할 줄 아는 남자가 더 매력 있게 느껴졌는지도 모르겠다. 그러나 애석하게도 아내는 자신이 결혼할 남자가 그저 적당히 술을 즐기는 남자가 아니라 술꾼 중의 괴수라는 사실을 꿈에도 생각하지 못했다.

아내는 나보다 네 살 연상이었고, 그 때문에 결혼 당시 집안의 반대가 심했다. 집안의 반대를 무릅쓰고 어려운 결혼을 했음에도 나는 가장으로서 건실하게 살려는 노력을 거의 하지 않았다. 오직 술, 술, 술만이 내 삶의 전부였다. 나의 음주는 날이 갈수록 심해져 종내는 술 없으면 살 수가 없는 상태까지 이르고 말았다.

내 상태가 그 지경에 이르자 평소 나를 아끼던 지인들도 넌더리를 내며 돌아섰다. 그 많던 친구들, 친척들, 심지어 형님들까지도 모두 내게서 등을 돌리고 떠나갔다. 그 과정을 지켜보는 아내의 심정이 어떠했을까. 생각할수록 미안하고 또 미안할 뿐이다.

결정적으로 아내를 충격에 빠트린 사건이 있었다. 형님은 목장을 정리하면서 그동안 일해 준 수고비 명목으로 내게 얼마간의 목돈을 쥐어 주었다. 이제 결혼도 하고 한 가정의 가장이 되었으니 이 돈으로 뭔가 내 스스로 자립할 수 있는 길을 열어 보라는 뜻이었을 것이다. 그런데, 실로 어처구니없게도 나는 그 귀한 돈을 경마와 술값으로 단 며칠 만에 모두 탕진하고 말았다. 심한 충격을 받은 아내는 젖먹이인 첫째 아이를 끌어안고 어찌할 바를 몰랐다.

얼마 후 우리 부부는 시골 살림을 정리하고 서울로 이사를 오게 되었다. 서울에서 둘째 아이가 태어나 두 아이의 아버지가 되었지만, 나의 음주 행태는 변함이 없었다. 집에 먹을 것이 없어 산모가 굶기를 밥 먹듯이 하니 젖이 나올 리 만무했다. 엄마의 젖을 찾던 젖먹이는 힘없이 울며 베개를 빨아댔지만, 가장인 나는 분유를 살 돈조차 마련하지 못했다. 다행히 영평 교회 사역자로 섬기셨던 여전도사님께서 교회 성미 쌀을 가져다주셔서 간신히 살아갈 수 있었다.

나의 건강은 날이 갈수록 나빠졌다. 술기운이 떨어지면 몸이 사시나무처럼 떨려서 도저히 정상적인 생활을 할 수가 없고, 다시 소주 한 병을 마시면 언제 그랬냐는 듯이 편안한 기분에 도취되어 버리는 상태의 악순환이었다. 밤이면 가위눌림과 무덤에서 시체를 주무르는 악몽에 시달려야 했고, 땀에 흠뻑 젖은 몸으로 비명을 지르며 깨기 일쑤였다.

계속되는 음주로 나의 몸은 점점 더 망가져 갔다. 젊은 나이임에도 남자 구실도 제대로 못했다. 남자 구실을 못한다는 열등감은 곧 의처증으로 발전했다. 알코올 중독에 의처증! 죄 없는 아내에겐 견디기 힘든 이중고였다. 가엽고, 애처롭고, 서글픈 나날들의 연속이었다. 그 시절을 회상할 때마다 술이라는 악의 뿌리가 선량한 내 가족들에게 얼마나 잔인한 짓을 했는지 몸서리가 쳐지고 뜨거운 분노가 치민다.

우리가 살았던 집은 답십리 산동네에 있는 다 허물어져 가는 흙벽돌집이었다. 집에 빈대가 얼마나 많은지 하루 저녁에도 십여 마리씩 잡았다. 그나마도 아는 분의 소개가 없었다면 우리 형편에 쉽게 집을 구하지는 못했을 것이다. 집주인은 외국에 있었는데, 우리는 그 집에서 살다가 재개발이 되면 나가는 조건으로 그 집에 들어갈 수 있었다. 다행히 월세도 없었다.

당시만 해도 답십리는 공동 수도, 공동 화장실을 사용하는 달동네였다. 공동 수도에서 물을 길어다 쓰고, 공동 화장실을 이용해야 하는 불편함은 이루 말할 수가 없었다. 그 무렵 몸이 망가질 대로 망가진 나는 심한 하혈로 고생하고 있었다. 몸이 피곤할 때는 그냥 앉아만 있어도 시뻘건 피가 흘러나왔고, 옷이 젖는 것은 물론 방바닥까지 흥건하게 고이기 일쑤였다.

그러니 화장실에서 볼일을 볼 때는 어떻겠는가. 공동 화장실에 가면 분수처럼 피가 쏟아져 화장실 바닥을 뻘겋게 피로 덮어 버리곤 했다. 내 몸에 피가 그렇게 많은지 내 눈으로 보고도 믿기 어려울 정도로 충격적이고 공포스러운 광경이었다. 이웃집 사람들이라도 볼까 두려워 나는 화장실에서 나오기 전엔 항상 흙벽돌로 된 벽을 손으로 긁어 바닥을 흙으로 덮곤 했다.

나의 몸은 점점 말라 갔다. 기침은 또 얼마나 나오던지 항문이 빠질 정도로 기침을 해 댔다. 걷는 것조차 힘이 들어 바깥출입을 거의 하지 못했다. 아내는 어떻게 해서든 나를 병원에 데리고 가고 싶어 했다. 그러나 나는 아내의 뜻을 완강히 거부했다. 병원에 가는 것이 싫었다. 두려웠다.

그러던 어느 날, 병원에 안 가면 이대로 죽을 것 같은 섬뜩한 느낌이 들었다. '이러다 진짜 죽는 것이 아닌가.' 하는 절망과 공포가 내 목을 조르고 있었다. 그 날 오후, 가까운 동네 병원을 찾았다. 엑스레이를 찍고 검사를 끝낸 의사는 혀를 끌끌 차며 딱하다는 눈길로 나를 바라보았다.

"아니 어떻게 몸이 이 지경이 되도록 방치할 수가 있습니까?"

나의 폐는 심각할 정도로 훼손돼 있었다. 당장 폐결핵 약을 복용하라는 의사의 경고에 따라 보건소 약을 먹기 시작했다. 몇 개월간 술을 끊고 열심히 약을 먹었더니 몸에 조금씩 살이 오르고 기침도 줄어들었다. 건강이 회복된다는 신호였다.

그러나 그것도 잠시뿐, 나는 다시 술 앞에 무너지고 말았다. 술을 마시면서 약을 먹으니 약이 들을 리가 없었다. 계속되는 음주로 인해 내 몸은 점점 말라 갔다. 급기야 아내와 두 아들까지 전염이 되어 온 식구가 결핵을 앓게 되었다. 실로 비참하기 짝이 없는 상황이었다.

그뿐인가. 나는 극심한 의처증으로 술만 마시면 폭력을 휘두르고 집을 부수며 난동을 부렸다. 아내와 아이들에게 나의 존재는 공포와 두려움의 대상일 뿐이었다. 오랜 세월 내가 변화하길 간절히 기도했던 아내는 도저히 견디기가 힘들었는지 어느 날 두 아들을 데리고 집을 나가 버렸다. 마지막까지 내 곁을 지키던 가족들마저 떠나자 모든 희망이 사라지고 말았다.

오산리 기도원

1987년 12월, 송년회가 있던 날이었다. 동네에서 만난 동생뻘 되는 사람이 나를 찾아왔다.

"형님, 술 한 잔 하러 갑시다."

술꾼이 술을 마다할 리가 없었다. 그를 따라 간 나는 밤새도록 술을 마시고 새벽녘에야 집으로 돌아왔다. 어떻게 왔는지 기억도 나지 않았다. 그런데 밖에서 무슨 일이 있었는지 발에서 엄청난 통증이 느껴졌다. 얼마나 욱신거리는지 도저히 잠을 이룰 수가 없었다. 이상해서 양말을 벗어 보니 왼쪽 발이 온통 인두질로 지져져 있었다.

도대체 누가 나에게 이 몹쓸 짓을 했단 말인가? 누가 나를 고문한 것일까? 아무리 생각해도 구두를 벗고 술을 마신 기억이 없는데 어찌 된 영문인지 알 수가 없었다. 하릴없이 발을 내려다보며 고통스러워하는데 문득 한 생각이 떠올랐다.

그 날도 계속되는 음주로 몸과 마음이 너무도 지친 날이었다. 술을 마시지 말아야 된다는 것은 알지만 마음뿐, 늘 음주의 달콤한 유혹에 무너지고 말았다. 약해빠진 나 자신이 미웠고, 그런 나를 내버려두시는 하나님이 원망스러웠다. 비록 취중이었지만 나는 눈물을 흘리며 그 어느 때보다 간절한 마음으로 하나님께 원망의 기도를 했다.

'하나님, 하나님이 살아 계시다면 왜 이토록 술을 마시게 내버려 두십니까? 정말 너무 괴롭습니다. 하나님, 제발 저 좀 도와주십시오. 앞으로 제가 술을 마시면 다리를 부러뜨리시든지, 그도 아니면 제가 알 수 있는 어떤 표적이라도 주십시오. 그러면 하나님의 뜻으로 알고 술을 끊겠습니다.'

정신이 번쩍 났다. 눈물로 간구했던 그 날의 간절한 기도가 생생히 떠올랐다. 온몸에 전율이 일었다. 나는 다급히 아내에게 당시의 상황을 이야기 했다.

"여보……."

나는 흑흑 흐느끼며 내게 몰아닥친 이 엄청난 상황을 더듬더듬 설명했다. 침착하고 끈기 있게 내 이야기를 듣던 아내가 냉정한 목소리로 말했다.

"당신, 내가 하는 말 잘 들어요. 이 상태에서 하나님 앞에 안 나가면 생명까지 위험해질 수 있어요. 지금 당장 오산리 기도원에 가세요!"

차갑게 느껴질 정도로 단호한 아내의 말에 불현 듯 두려움이 엄습했다. 아내의 말이 그렇게 무섭게 느껴지기는 생전 처음이었다.

"무, 무서워……."

"서둘러야 해요! 어서요!"

"알았어……."

"힘내요. 나도 함께 기도할게요."

나는 가슴 저 밑바닥에서 치미는 두려움을 억지로 삼키고 마침내 집을 나섰다. 맨발에 붕대를 감고 슬리퍼를 끌며 절뚝절뚝 걷는 나의 몰골은 패잔병의 모습을 방불케 했다. 왼발을 디딜 때마다 참기 힘든 고통이 밀려와 절로 미간이 찌푸려졌다. 53번 버스를 타고 여의도에 간 나는 오산리 기도원으로 가는 차에 몸을 실었다.

버스에 자리를 잡은 나는 창가에 몸을 기댄 채 지그시 눈을 감았다. 숙취로 인해 속이 쓰리고 머리가 지끈거렸다. 그러나 머릿속을 흐르는 의식은 그 어느 때보다 또렷했다.

'하나님께서는 나의 삶을 어디로 인도하시려는 것일까…….'

오산리가 가까워올수록 두려움이 걷히고 옅은 설렘과 기대감이 옅은 안개처럼 피어올랐다. 신혼 시절부터 아내를 따라 일 년에 한 번씩 올라왔던 오산리 기도원은 언제나 생명력이 넘치는 은혜의 동산이었다. 경관이 수려하고 물은 또 얼마나 좋은지! 그 물로 세수를 하면 로션을 바르지 않아도 얼굴이 윤이 나고 보드라웠다.

오산리 기도원은 우리 식구들이 살아난 곳이었다. 한때 암으로 고통을 당했던 나의 아내는 오산리 기도원에서 열흘 금식 기도를 드렸다. 금식기도 마지막 날, 아내는 화장실에서 주먹만 한 암덩어리를 쏟아 버리고 20년이 지난 지금까지 재발 없이 건강하게 살고 있다. 하나님의 치료는 실로 완벽하시다.

나는 아픈 발을 절름거리며 힘겹게 기도원에 올라왔다. 아직 젊은 나이였지만, 40㎏를 웃도는 앙상한 몸으로 거친 숨을 몰아쉬며 언덕길을 오르는 나의 모습은 완연한 병자의 행색이었다. 지금 내가 믿고 의지할 분은 하나님밖에 없었다.

나는 기도원에 올라온 날부터 금식에 들어갔다. 아내가 권한 대로 7일 금식을 할 작정이었다. 기도원에서 예배를 드리노라니 아내 생각이 절로 났다. 아내는 나를 해마다 청장년 금식 대성회에 보내기 위해 알코올 중독자인 나에게 일 년을 투자했다. 그 정성을 뿌리치지 못하고 성회에 참석을 했었지만 나는 번번이 술 앞에 무너지곤 했다.

오산리 기도원은 예배실이 많지만, 평일에는 대성전을 사용하지 않고 지하 성전을 사용하도록 돼 있다. 나는 지하 예배실에서 금식과 수면을 동시에 해결하며 하나님 앞에 나와 앉아 하루하루를 보냈다.

가장 불편한 것은 화장실 문제였다. 물을 자주 마셔서 화장실을 자주 가야 했는데, 화장실에 가려면 가파른 계단을 한참 올라가야 했다. 성치 않은 몸으로 높은 계단을 오르는 것이 얼마나 힘이 들던지 몇 계단 올라가다 앉았다가를 반복하면서 힘겹게 화장실을 다녀왔다.

금식 삼 일째가 되자 몸에 탈진 증상이 일어났다. 발은 아프고, 기운은 없고, 그저 힘없이 눈만 껌뻑이며 누워 있었다. 예배 시간에도 예배를 드린다기보다는 그저 함께 성전에 있기 때문에 어쩔 수 없이 참여하는 형편이었다. 얼마나 힘이 들던지 기도원에 온 것이 후회막심이었다. 집에 가고 싶은 생각이 굴뚝같았지만 내려갈 힘조차 없었다. 기침은 시도 때도 없이 터져 나와 나는 물론 옆 사람들까지 힘들게 만들었다. 하지만, 모두가 편안하게 대해주었다.

그렇게 금식 기도 마지막 날 밤을 맞이하였다. 금식하면서 힘만 들었지 내게는 어떠한 변화도 없었다. 서글픔과 절망, 조용한 체념이 차례로 나를 찾아왔다.

'아, 하나님이 나를 버리셨구나! 내 인생이 이렇게 끝나는 것인가…….'

하루가 덧없이 저물고 저녁예배를 마치고 난 뒤였다. 통성기도 시간에 갑자기 몸이 가벼워지는 느낌을 경험했다. 뭔가 따뜻해지는 느낌과 더불어 엄마의 품속 같은 평온한 기운이 몰려 왔다. 이윽고 눈시울이 뜨거워지는가 싶더니 알 수 없는 눈물이 와락 터져 나왔다. 눈물 콧물이 주체할 수 없이 쏟아지기 시작했다.

웬일인가?

하나님께서 나를 버리신 줄 알았는데, 지금 하나님이 나를 만나주고 계시는 것이다.

이럴 수가!

기쁨과 감격의 눈물을 흘리고 있는 내 마음속에 잔잔한 주님의 음성이 들려 왔다.

'아들아, 내가 너의 병을 고쳤다. 그리고 네 아내와 너의 두 아들의 병도 고쳤단다.'

'네?'

나는 깜짝 놀라고 말았다.

'고쳐 주셨다구요?'

내 몸에 갑자기 생기가 돌면서 몸이 날아갈 것 같은 기분이었다. 기쁨과 환희에 찬 나는 그 길로 단숨에 계단을 뛰어 올라갔다. 몇 계단 올라가다 앉았다가를 반복했던 바로 그 계단이었다. 나는 듯이 계단을 오른 나는 공중전화로 아내에게 '치료의 소식'을 전했다. 아내는 놀라서 '주여, 감사합니다.'를 외칠 뿐이었다.

"여보, 당신하고 애들 병도 다 나았어. 이제 보건소 약 안 먹어도 돼!"

그 날을 기점으로 우리 가족은 거짓말처럼 건강을 되찾았고 더 이상 보건소를 갈 필요가 없어졌다. 실로 기적 같은 일이었다. 오산리 기도원에서 온전히 하나님을 만난 나는 술의 저주와 질병에서 완전히 해방 되었다. 기도원을 내려온 나는 완전히 새 사람으로 변화되어 있었다.

죽마고우

술을 끊은 나의 삶은 완전히 바뀌었다. 담배도 피우지 않았고, 욕도 함부로 하지 않았다. 그러나 그것만으로는 충분하지 않았다. 그것은 변화의 시작일 뿐이었다. 돌이켜보면, 아내와 결혼한 뒤 나는 가정을 위해서 한 일이 아무 것도 없었다. 그저 술 마시고 싸우고 깨고 부수었을 뿐이었다. 대부분의 알코올 중독자들이 그렇듯 자기 입만 알았지 아이들 좋아하는 군것질거리 한번 제대로 사다 준 적이 없었다.

부끄러웠다. 이제라도 우리 가정을 일으켜 그동안 고생만 한 아내와 아이들을 행복하게 해 주고 싶었다. 그러자면 돈을 벌어야 했다. 일, 일, 일! 일을 해야 했다.

'그래, 나도 무엇인가 해 보자.'

마음은 그렇게 먹었지만 마땅히 할 것이 생각나지 않았다. 취직을 하려니 배워 놓은 기술이 없었고, 장사라도 하려니 밑천이 없었다. 그때 우연히 전봇대에 붙은 '일수 급전'이라는 손바닥만 한 광고지가 눈에 들어왔다. 갑자기 용기가 치솟았다.

'그래! 내가 할 일은 리어카를 끄는 일이다.'

과일 장사를 하겠다고 결심한 나는 일수 30만 원을 빌려서 리어카를 장만하고, 합판을 사서 과일 받침대를 짰다. 신앙의 힘은 실로 위대한 것이었다. 워낙에 내성적이고 소극적인 성격이라 술이 안 들어가면 누구한테 말하는 것이 힘들고 늘 움츠린 삶을 살았던 내가 과감하게 돈을 빌리고 장사판에 뛰어들 결심을 한 것이다! 신앙은 모든 환경과 나의 성격까지도 뛰어넘는 변화의 삶으로 나를 이끌었다.

나는 스스로 다짐하고 또 다짐했다.

'이제부터는 가정과 이웃을 위한 삶을 살아야겠다.'

나는 매일 아침 리어카를 끌고 경동시장에 과일을 떼러 나갔다. 1988년은 대한민국에서 사상 최초로 올림픽이 열린 해였다. 1988년에 마치 기적같이 우리나라에 올림픽이 열리게 된 것처럼 나의 삶도 올해부터는 달라지기를 염원하며 아침마다 리어카를 끌었다. 그런 각오 때문이었을까. 처음 하는 장사였지만 과일은 제법 잘 팔렸다.

그러나 장사가 잘된다고 큰 욕심을 부리지는 않았다. 도매상에 가면 딱 그 날 팔 만큼만 과일을 구입해서 장사를 했다. 과일이 다 팔리면 집으로 돌아가 아내에게 그 날 번 돈을 건네고, 아이들에게도 용돈을 주었다. 그 기쁨이 얼마나 컸던지 정말 인생이 즐겁고 모든 게 새로웠다. 이렇게 변화된 나의 삶 속에서 나는 참 행복을 느꼈다.

나에게는 어릴 때부터 절친하게 지내 온 만종이란 친구가 있었다. 만종이는 중학교 때 나에게 담배를 가르쳐 준 친구로, 서로 간에 내 것 네 것이 없고 비밀도 없는 죽마고우였다. 내 생일이 되면 만종이는 늘 큰 자전거에 막걸리 한 말을 싣고 왔다. 그 막걸리 한 통을 하루 종일 둘이서 다 마셔 버리는 것이다.

나와 만종이는 동네에서도 아예 내놓은 사람들이었다. 특히 만종이는 힘이 좋고 인상이 험악해서 그가 술이 취했다 하면 동네 사람들이 모두 도망가 버리곤 했다. 그러나 내게는 그 누구보다 정다운 친구였다. 우리의 대화는 만나면 욕으로 시작해서 욕으로 끝날 정도로 거칠기 짝이 없지만, 굳이 겉으로 표현하지 않아도 마음이 통하는 허물없는 친구 사이였다.

그런데 어느 날 갑자기 달라진 내 모습이 영 이상했던 모양이었다. 마치 성자가 된 것처럼 술도, 담배도, 욕도 안 하는 나를 만종이는 의아하다는 듯 쳐다보았다.

"너 무슨 일 있냐?"

나는 빙긋이 웃으며 말했다.

"만종아, 나 하나님 만났다."

"하나님?"

나는 그간에 있었던 일들과 하나님을 만난 놀라운 체험을 담담하게 털어놓았다. 그리고 진심을 다해 말했다.

"너도 하나님 만나라. 내가 함께 있어 줄게."

역시 내 친구였다. 만종이는 내 권유에 따라 오산리 기도원에 가겠다고 나섰다. 나는 만종이에게 7일 금식을 권했다. 나는 금식 기도를 하는 만종이 곁에 조용히 머물면서 예배를 드렸다. 하나님의 역사는 계속해서 이루어졌다. 금식 마지막 날, 만종이가 놀라운 환상을 체험하고 하나님을 만난 것이다. 우리는 감격에 겨워 서로 부둥켜안고 기쁨의 눈물을 흘렸다. 그 날을 생각하면 지금도 가슴이 벅차오른다.

술만 마시면 온 동네를 시끄럽게 하던 만종이, 동네 주민들이 무서워서 슬슬 피해 가던 만종이는 이후 천사같이 변화하여 많은 사람들을 놀라게 하였다. 이제 목사님이 된 만종이와 나는 여전히 절친한 친구지만 우리의 언어는 존댓말로 바뀌었고, 알코올 중독자들을 위하여 살겠다는 뜨거운 사명감으로 불타오르고 있었다.

당시 내 주변에는 만종이 외에도 나의 변화를 묘한 눈길로 바라보는 또 한 사람이 있었다. 그는 작은아버지의 아들인 사촌형이다. 그도 나만큼이나 지독한 술꾼으로, 우리 둘 다 술을 마시면 끝장을 봐야 하는 성미였다. 큰댁인 우리 집에서나 작은댁인 형네 집에서나 우리가 만나는 것을 반길 리가 없었지만, 그래도 사촌형과 나는 술꾼들답게 잊을 만하면 한 번씩 만나 우의를 다져 왔다.

그런 형이 언제부턴가 거의 매일이다시피 우리 집에 들렀다. 아무리 봐도 나의 변화가 신기하다는 것이었다. 형은 의구심이 가득한 눈길로 내가 하는 모습을 한참 쳐다보기도 하고, 술을 사 달라고 끌고 가서는 슬쩍 술잔을 주면서 나를 떠보기도 했다. 다른 사람처럼 행동하는 나의 변화가 놀라우면서도 못내 의심쩍었던 것 같다. 그러나 내가 생활하는 모습을 자기 눈으로 직접 확인한 뒤로는 마침내 형도 나의 변화를 확실히 인정하게 되었다.

나는 형에게도 내가 만난 하나님 이야기를 들려주었다. 묵묵히 내 이야기를 듣던 형은 눈물을 글썽이며 자기도 오산리 기도원에 가겠다는 것이었다. 그 말을 듣는 순간 얼마나 기쁘던지! 나는 형의 손을 꼭 잡고 며칠 후 함께 기도원에 가자고 약속했다.

나 한 사람으로 시작된 변화와 기적은 내 주변의 사람에게 영향을 미쳐 새로운 변화와 기적을 만들어내기 시작했다. 그 첫 번째 결실이 내 친구 만종이였고, 두 번째 결실은 사촌형이었다. 사촌형 역시 나와 함께 오산리 기도원에서 함께 기도하고 예배를 드리던 중 하나님을 만나는 기적을 체험한 것이다. 너무나도 감사한 일이었다.

사촌형이 주님을 만난 뒤 새 사람이 되자 아들의 변화에 충격을 받은 작은아버지는 그 좋아하시던 술을 끊고 교회에 다니시다가 하늘나라에 가셨고, 작은어머니는 교회 권사님이 되셨다. 이 후 목사님이 된 사촌형은 열심히 목회를 하고 계신다.

나와 만종이, 사촌형 세 사람은 이제 혈연과 모든것을 넘어선 영혼의 친구이자 신앙의 동반자로서 각자의 영역에서 열심히 봉사하고 즐거운 인생을 살아가면서 틈나는 대로 만나 친교를 나누고 있다. 한때는 못 말리던 술꾼들이 요즘 만날 때마다 늘 하는 이야기가 있다.

'술 없이 살아가는 인생이 이렇게 즐겁고 깨끗하고 좋을 수가 없구나!'

긴 방황의 터널을 통과한 우리에게 이제 새로운 세계가 펼쳐지고 있었다.

거지의 기적

어느 날, 과일 장사를 마치고 집에 오니 아내가 상의할 것이 있다며 조심스럽게 입을 열었다. 아내가 속해 있는 여성 구역에 새로운 가정이 이사 왔는데, 그 집 남편이 거지라고 했다. 거지 남편은 한번 나가면 몇 달에 한 번씩 집에 오는데, 올 때마다 거지들을 잔뜩 끌고 와 밤새 술을 마시고 이불과 방에 오줌을 싸는 등 온 집안을 난장판으로 만들고 간다는 것이다. 그 집 부인은 거지 남편과 사는 것이 창피해서 자주 이사를 다니는데, 얼마 전 전농동으로 이사 온 것도 그 때문이었다.

"당신 도움이 좀 필요해요. 그 남편 분을 한번 만나 주시겠어요?"

"그러지. 그 부인한테 남편이 집에 오면 즉시 연락하시라고 해."

며칠 후, 거지 남편이 집에 왔다는 전갈이 왔다. 나는 즉시 아내와 함께 그 집으로 향했다. 그런데 우리가 집에 들어서자 거지는 귀신같이 눈치를 채고 재빨리 도망가 버리고 말았다. 다시 며칠이 지난 1988년 겨울 어느 날이었다. 장사를 마치고 우리 집 현관 앞에서 벨을 누르는데 아내가 후다닥 뛰어나오면서 조용히 하라는 듯 손가락 하나를 입에 대었다. 나는 작은 소리로 물었다.

"왜?"

"방에 그 거지가 있어요."

"우리 집엔 어쩐 일이야?"

"두어 시간 전에 누가 대문을 두드려서 나가 보니 저 사람이 속이 아프다고 약 좀 사먹게 약값을 달라는 거예요."

일전에 나와 함께 그 집에 방문했을 때 아내는 용케도 도망가는 거지의 얼굴을 봤었던 모양이었다. 그 거지임을 확신한 아내는 그를 방으로 안내하고 소주 두 병을 사다 주면서 내가 올 때까지 시간을 끌었다고 한다. 우리를 피해 도망갔던 사람이 제 발로 우리 집에 걸어들어 왔다니, 생각할수록 놀라운 일이었다. 누가 저 거지를 우리 집으로 이끈 것일까?

방에 들어가 보니 거지는 술에 취해 잠들어 있었다. 언제 세수를 했는지 꾀죄죄한 얼굴에서는 땟국물이 흐르고, 몸에 걸친 옷가지는 더럽기 짝이 없었다. 지독한 악취에 코를 감싸 쥐며 한숨을 내쉬었다.

'내가 과연 저 거지를 도울 수 있을까.'

눈앞이 캄캄했다. 생각 같아서는 당장이라도 저 거지를 집에서 내보내고 싶었다. 나는 매일 3만 원의 일수를 찍어야 사는 사람이다. 하루라도 밀리면 일수쟁이가 가만히 있지 않는다. 한 번 기도원을 가면 7일 정도는 장사를 못한다. 그러면 늘어나는 일숫돈과 어려운 우리 가정은 어떻게 될 것인가 염려가 앞섰다.

문간에 선 채로 한숨을 푹푹 내쉬는데, 거지가 부스스 눈을 뜨고 나를 올려다보았다. 잠결에도 인기척이 느껴진 모양이었다. 그런데 이상한 일이었다. 나와 눈이 마주치는 순간 거지가 눈물을 주르륵 흘리는 것이었다. 그는 벌떡 일어나 내 앞에 무릎을 꿇었다.

"선생님, 저 좀 살려 주세요!"

나는 그에게 말했다.

"내가 어떻게 당신을 살릴 수 있겠습니까?"

"살려 주세요, 살려 주세요……."

흐느끼는 그 거지의 모습을 보고 있노라니 연민의 정이 느껴졌다. 사실 얼마 전까지 나의 모습도 저 거지와 다를 바가 없었다. 아니 어떤 면에서는 저 거지보다 더 비참한 삶을 살았다고 할 수 있다. 만약 그때 주님께서 내 손을 잡아 주지 않았더라면 지금쯤 나와 우리 가정은 어떻게 되었을까…….

생각이 거기에 이르자 마음 깊은 곳에서 아릿한 통증이 느껴졌다. 양심이 나를 찔러 대고 있었던 것이다.

'그래, 저 거지는 분명 주님이 나에게 보내준 사람이다.'

나는 그를 돕겠다고 마음을 굳히고 거지에게 물었다.

"좋소! 당신을 도와주겠소. 하지만 그 전에, 전적으로 내 말에 따르겠다는 확답을 들어야겠소. 약속할 수 있겠소?"

"예, 약속하겠습니다. 선생님께서 시키시는 일은 무엇이든 하겠습니다."

"내가 하나님을 만난 장소가 있는데 당신도 그곳에 가면 인생이 바뀌게 될 것이오."

술을 마셔서 심신은 피폐해져 있었지만 그의 눈망울은 아직 살아 있었다. 나를 쳐다보는 거지의 초롱초롱한 눈망울에서 나는 희망을 발견했다. 그를 오산리기도원으로 데리고 가기 전에 우선 목욕을 시키기로 했다. 그러나 목욕탕에서 거지를 받아 줄 리가 없었다. 나는 체구가 작은 그에게 아내의 옷을 갈아입히고, 싫다는 것을 겨우겨우 설득하여 간신히 손을 씻기는 데 성공했다. 생각 같아서는 얼굴도 씻기고 싶었지만, 죽어도 싫다는 데에야 어쩔 수가 없었다. 하는 수 없이 그대로 집을 나섰다.

그런데 기도원를 향해 가는 도중에 거지는 갑자기 못 가겠다고 고집을 피웠다. 이유인즉 김성준이라는 아끼는 동생이 있는데, 그를 함께 데리고 가야 된다는 것이었다. 그보다 한 살 아래인 김성준은 삼청교육대를 갔다 온 뒤 인생을 한탄하며 알코올 중독이 되었고, 그와는 함께 구걸을 다니며 호형호제하는 사이가 되었다고 한다.

거지의 세계에도 왕초가 있고, 그들만의 분명한 질서가 있었다. 한번 마음을 주면 절대 저버리지 않는 의리가 있었고, 어떤 상황에서도 서로를 아끼고 세심히 챙겼다. 두 사람의 거지를 만나면서 새로운 세계에 눈을 뜨게 되었다. 나는 틈나는 대로 청량리 근처를 다니며 도움을 줄 사람들을 찾았다. 그러다가 얼마전 빈집에서 본드를 하던 청년 두 사람을 발견하였다. 마침 나는 두 거지와 본드 하던 청년 둘을 만나면서 함께 데리고 오산리 기도원을 향해 출발하게 되었다.

오산리 기도원은 하루에도 수천 명씩 모이는 장소이다. 죽을병을 앓는 사람들도 이곳에 와서 대부분 다 고침을 받았다는 소문이 전 세계에 알려져 세계 각국의 사람들이 찾아오는 기적의 동산이었다. 기도원이 워낙에 커서 처음 오는 사람들은 어디가 어딘지 한참을 찾아야 하는 곳이다.

이 거대한 기도원에 두 거지와 본드 하는 두 형제를 데리고는 왔지만 나는 도무지 자신이 없었다. 나는 마음속으로 이런 기도를 올렸다.

'하나님, 저의 임무는 여기까지입니다. 이제부터는 주님이 알아서 해 주세요.'

금식 기도원이라 나는 네 사람 모두에게 금식을 시켰다. 나 역시 기도원에 머물면서 예배 시간마다 함께 예배를 드리기 위하여 그들을 만났다. 그러나 예배가 끝나면 각자 화장실도 가고 산책을 하면서 자유로운 시간을 가졌다.

오산리 기도원에 올라온지 만 하루가 지났을 때였다. 오후 2시경, 화장실을 다녀오는데 갑자기 나의 몸이 강력한 바람에 밀려 내 의지와 상관없이 떠밀리듯 앞으로 나아갔다. 그 길은 내가 원래 가려던 방향과는 전혀 다른 곳이었다. 나는 가만히 있는데 내 몸이 저절로 움직이는 것이다. 실로 불가사의한 일이었다.

잠시 후, 내 몸은 일그러진 얼굴로 도망치듯 어디론가 바삐 가고 있던 거지의 앞을 가로막고 서 있었다.

"어디를 가시오?"

거지는 몹시 당황한 얼굴로 눈을 크게 뜨고 나를 바라보았다.

"저, 배가 아파서 약 사먹으러 갑니다."

약을 사먹으러 간다……. 결국 그것은 소주를 마시러 가겠다는 말이었다. 순간, 내 입에서 거지를 책망하는 말이 벽력같이 터져 나왔다. 그 말이 얼마나 엄하고 단호하였던지, 거지는 순순히 고개를 숙이고는 죄송하다며 다시 성전으로 돌아갔다. 강력한 주님의 인도를 체험한 나는 하나님이 이 거지를 살리기 위하여 신비한 방법을 동원하여 돕고 계심을 알았다.

'아, 하나님! 감사합니다.'

아무것도 아닌 나에게 저 가여운 영혼들을 맡기시고 이처럼 비밀스러운 일을 나를 통하여 행하시다니! 감격한 나의 발길은 나도 모르게 기도굴을 향하고 있었다. 난생 처음 들어온 기도굴이었다. 평소에는 왠지 두려운 마음에 들어올 엄두를 못 냈는데, 주님의 인도를 체험한 뒤로는 이제 나도 저들을 위해서 기도해야겠다는 마음이 두려움을 압도한 것이다.

기도굴에 들어가서 무릎을 꿇는 순간 놀라운 일이 벌어졌다. 그 거지의 과거와 현재의 고통, 처지를 낱낱이 알게 된 것이다. 이후, 세 시간 동안 거지를 위한 치유와 회개의 기도가 내 입을 통해 끊임없이 흘러나왔다. 이윽고 기도를 마쳤을 때는 내 얼굴은 온통 땀범벅, 눈물범벅이 되어 있었다. 난생 처음 기도굴에서 중보의 기도를 체험한 나의 마음은 구름 위를 거니는 듯 천국 그 자체였다. 나의 몸은 날아갈듯 가뿐하고, 내 영혼은 주님의 은혜로 충만하게 채워져 있었다.

큰 은혜를 받고 기도굴을 나온 나는 다시 한 번 깜짝 놀라고 말았다. 저만치서 거지가 환하게 웃으며 나를 향해 달려오는 것이었다. 그는 나를 부둥켜안으며 감격에 겨워 소리쳤다.

"선생님, 저도 이제 살았어요! 하나님을 만났다고요!"

"주님, 감사합니다!"

우리는 서로 얼싸안은 채 기쁨을 만끽했다. 주위에 많은 사람들이 있었지만 우리는 창피한 줄도 모르고 한 동안 감격에 겨워 어쩔 줄을 몰랐다.

'아, 정말 하나님은 살아 계시구나! 나 같은 천한 인간을 살려주시더니 이토록 오묘한 섭리로 저 거지를 주님의 품으로 인도하여 비루한 삶을 청산하게 하시니 기이한 일을 행하시는 주님의 큰 사랑을 이제야 알겠습니다. 주님, 감사합니다.'

나와 네 사람은 모두 기도원에서 은혜를 받고 기쁘게 하산하였다. 오산리 기도원을 다녀온 뒤 거지의 삶도 크게 변화하기 시작했고, 나와 만종이, 사촌형, 거지 네 사람은 매일 만나면서 이 땅의 알코올 중독자들을 위하여 일 할 것을 다짐하였다. 새로운 삶을 살게 된 우리 네 사람의 마음은 주님의 사랑 아래 더욱 불타오르고 있었다.

앞에서도 말했다시피 1988년은 여러 면에서 내게는 각별한 해였고, 가슴 뿌듯한 일들이 많이 있었다. 겨울이 되면서 과일 장사는 더욱 잘되었다. 워낙에 목이 좋아서 그런지 가게를 얻어서 과일을 파는 사람보다 오히려 수입이 더 좋았다. 도매상에서 물건을 떼어오면 보통은 오전 중에 본전을 되찾고, 오후부터 팔리는 것은 모두 남는 장사였다. 거기다 가게세도 없으니 일석이조라고나 할까.

내 주변에 나를 통하여 술을 끊고 새롭게 인생을 시작하는 사람들이 많아지고 있다는 점도 특기할 만한 일이었다. 문제는 그들 대부분이 막노동판을 전전하거나 안정된 직업이 없다는 점이었다. 나는 그들에게 장사를 가르치기로 결심했다. 우선 리어카를 구입하게 한 뒤 일일이 함께 다니며 도매상에서 물건을 떼는 방법, 장사하는 방법을 알려주었고, 장사할 자리도 정해 주었다. 다행이 다들 잘 따라 주었고, 한 3일 정도 지나니 혼자서도 잘들 해 나갔다.

그러던 어느 날이었다. 내가 장사 하는 것을 유심히 보던 어떤 분이 문득 업종을 바꾸어 보라고 권하는 것이었다. 붕어 장사를 하면 쉽게 돈을 벌 수 있다는 얘기였다. 100원 짜리 붕어를 마리 당 몇 천 원씩 받을 수 있고, 500원짜리 먹이는 2000원까지 받는다는 것이다.

게다가 유리 어항에 붕어 2마리를 넣어 먹이와 세트로 팔면 만 원을 받는데, 본전 2000원을 제하면 8000원이 남는 장사라고 했다. 듣고 보니 꽤 이문이 남는 장사라 우리는 별 생각 없이 과일 장사에서 붕어 장사로 갈아타기로 했다.

그분 말대로 붕어는 불티나게 팔렸다. 특히 호기심 많은 학생들에게 인기가 많았다. 밤에 유리 어항 옆에 불을 켜놓으면 헤엄치는 붕어들이 얼마나 예뻐 보이는지, 지나가던 학생들이나 젊은이들이 저마다 걸음을 멈추고 붕어를 구경하며 탄성을 질렀다. 우리는 모두 신이 나서 열심히 장사를 했다. 그때는 그 장사가 최고인 줄 알았고, 어른이 어린 학생들을 상대로 붕어 장사를 하는 것이 창피한 일인지 생각하지 못했다.

한파가 몰아치던 어느 겨울 날, 만종이와 나는 두툼한 옷을 입고 붕어 장사를 하기 위해 물통을 들고 버스에 올랐다. 그런데 아뿔싸! 공교롭게도 그 버스는 고향 친구 대철이가 운전하는 38번 버스였다. 운전석에 앉은 대철이가 우리를 힐끗힐끗 쳐다보는데 이상하게 아는 체를 할 수가 없었다. 대철이의 눈길을 피해 고개를 숙이던 그 때 우리에게 찾아온 감정이 바로 창피함이었다.

버스에서 내린 만종이와 나는 서로 마주보며 멋쩍게 웃었다.

"대철이가 우리를 알아봤을까?"

"글쎄……. 야, 붕어장사 이거 우리가 할 일은 아닌 것 같다."

처음에 우리는 주로 서울에서 붕어를 팔았는데 장사꾼들 사이에 붕어 장사가 괜찮더라는 소문이 나면서 붕어 장사를 하는 사람들이 점점 늘어나기 시작했다. 서울에서는 경쟁이 치열하기 때문에 이제는 붕어장사 구역을 넓힐 필요가 있었다. 나는 오토바이를 사서 성남을 돌기 시작했다. 내 예상은 정확히 맞아떨어졌다. 성남에는 아직 붕어 장사가 들어오지 않아서 가기만 하면 금방 다 팔렸고, 하루에도 꽤 많은 돈을 벌 수 있었다.

그러나 호사다마라고 했던가. 돈 버는 재미로 먼 길을 다니며 장사를 하던 중에 오토바이 사고가 났다. 그 날은 평소보다 더 많은 붕어와 어항을 오토바이에 실었는데, 잠실대교를 건너던 중 그만 오토바이가 넘어지면서 어항과 물고기가 길바닥에 널브러졌다. 그 사고로 다리를 다친 나는 결국 붕어 장사를 정리하게 되었다.

부르심

오토바이 사고가 나기 며칠 전, 나는 아주 생생한 꿈을 꾸었다. 어떻게 보면 꿈같기도 하고 환상 같기도 한 그 체험은 내 뇌리에 너무나 선명한 장면 하나를 남겼다. 그것은 바로, 시리도록 맑은 하늘 아래 '국민일보'라고 쓴 현수막이 나를 향하여 펄럭이고 있는 모습이었다. 그 현수막을 보는 순간, 왠지 모르게 가슴이 두근거리고 설레었다.

개인적으로 내가 '국민일보'와 무슨 관련이 있는가 하면 그것도 전혀 아니었다. 그저 국민일보가 1988년 12월에 창간된 신문이라는 것을 알고 있었을 뿐이었다.

'무슨 일일까? 나는 신문하고 아무 연관이 없는데…….'

그 체험 이후 국민일보는 나의 마음 한 구석에 크게 자리 잡게 되었다. 오토바이 사고로 장사를 그만두자 우리 집 형편은 나날이 악화돼 급기야 월세도 내지 못할 정도가 됐다. 그 와중에 답십리 국민일보지국에서 후임자를 찾고 있다는 소식이 들렸다. 전임 신명철 지국장이 그동안 잘 운영을 해 왔으나 힘에 부쳐 내놨다는 것이다.

그 말을 듣는 순간 후임자는 나라는 생각이 들었다. 마음 같아서는 당장이라도 답십리지국을 인수하고 싶었지만 그러기 위해서는 천만원의 자금이 있어야 했다. 그러나 내 마음 속에는 '답십리 국민일보지국을 운영하고 싶다.'는 소원이 불 일듯 일어나기 시작했다.

그러던 어느 날, 한 동안 만나지 못했던 먼 친척으로부터 전화가 왔다. 한번 만나자는 것이다. 나보다 나이가 6살 위인 고향 선배이며 친척으로는 아저씨뻘 되는 분이었다. 아저씨는 나를 만나자 마자 내 마음속을 들여다보기라도 한 듯이 이렇게 물었다.

"우관아, 너 뭐 하고 싶은 것 없냐?"

미리 생각해 두기라도 한 것처럼 내 입에서 대답이 흘러나왔다.

"네, 국민일보 지국을 운영해 보고 싶어요."

아저씨는 자초지종을 듣지도 않고 대뜸 물었다.

"얼마나 있어야 하는데?"

"천만 원이요."

"그래? 그러면 이 돈으로 빨리 계약부터 해라."

아저씨는 씨익 웃으며 지갑에서 수표 몇 장을 꺼내 내 손에 쥐어주었다. 500만 원이었다. 나는 크게 놀라 눈만 껌뻑거렸다. 수표를 손에 쥐고도 이 현실이 도무지 믿어지지가 않았다.

'아, 얼마 전에 본 장면이 꿈이 아니라 현실이었구나!'

나는 아저씨께 진심으로 감사의 인사를 전했다. 나머지도 돈을 보내줘서 국민일보 답십리지국을 완전히 인수하게 되었다. 참으로 기적 같은 일이었다.

그러나 신문지국을 운영한다는 건 말처럼 쉬운 일이 아니었다.

신문을 배달하는 일도 중요하지만 철저한 독자 관리와 지속적인 판촉으로 계속해서 새로운 구독자를 확보해야 지국이 유지되었다. 지국운영 경험이 전혀 없는 나로서는 고민이 깊을 수밖에 없었다. 바로 그때 뜻밖의 인물이 따뜻하게 나를 위로하는 것이었다.

"박 집사님, 무얼 걱정하십니까? 내가 있지 않습니까?"

나와 함께 오산리 기도원에 가서 하나님을 만났던 거지, 바로 그분이었다. 그동안 전혀 말을 안 해서 까맣게 몰랐는데, 알고 보니 그분은 과거 동아일보에서 알아주는 배테랑급 지국 총무였다. 아, 어쩌면 이 모든 일들이 톱니바퀴처럼 이렇듯 정확하게 맞아떨어질 수가 있을까. 아무짝에도 쓸모없는 알코올 중독자, 아무 능력도 없는 이 사람에게 창조주께서는 어쩌면 이리도 세심한 관심과 따뜻한 사랑을 보여주시는 것일까.

'아, 하나님 감사해요!'

감사의 뜨거운 눈물이 흘렀다.

그분의 도움으로 국민일보 답십리지국은 탄탄하게 내실을 다지게 되었고, 그 과정에서 나도 신문지국을 운영하는 노하우를 배울 수 있게 되었다. 적극적으로 나의 일을 도와주던 그분은 얼마 후 먼 나라로 떠나게 되었고, 그곳에서 알코올 중독자들과 마약 중독자들을 위하여 헌신적으로 사역하는 선교사님이 되었다. 국민일보 답십리지국은 나날이 발전하여 마침내 본사에서도 인정하는 우수 지국이 되었다.

평소처럼 열심히 지국 운영에 힘을 쏟던 어느 날이었다. 아내와 나는 무슨 일로 크게 다투게 되었다. 우리는 서로 회개가 필요하다고 느끼고 아내는 교회로 나는 기도원으로 떠났다. 오산리 기도원에 도착한 나는 간절한 마음으로 회개 기도를 드렸다. 들끓던 마음이 차차 가라앉으며 영적으로 충만해지는 기쁨을 느끼게 되었다. 나의 기도는 어느덧 나의 아내와 가족, 상처받은 이웃들을 위한 기도로 발전하기 시작했다.

얼마나 시간이나 지났을까. 어느 순간 알 수 없는 감동이 나를 사로잡았다. 무엇에서 기인한 감동이었을까. 원인을 알 수 없는 기쁨과 평안함, 가슴을 꽉 채우는 감동이 내 마음을 움직이는 가운데, 돌연 신학교에 가고 싶다는 생각이 고개를 치켜들었다. 나는 깜짝 놀라 고개를 흔들었다.

이게 웬일인가! 아내와 심하게 다툰 뒤 마음이 괴로워서 기도원에 올라왔는데 신학교에 가고 싶다니! 내가 지금 꿈을 꾸고 있는 것인가. 감히 내가 신학교에 가서 주님의 일을 하게 된다니! 아니다. 내가 잘못 생각하고 있는 것이다.

그러나 그 생각도 잠시뿐 신학교를 가야겠다는 마음이 가득한 가운데 기쁨으로 기도원에서 하산하였다. 집에 돌아온 나는 아내와 화해한 뒤 기도원에서 느꼈던 감동의 마음을 전했다. 내 이야기를 듣던 아내는 크게 놀라며 소리쳤다.

"나도 교회에서 기도를 하다가 '남편을 신학교에 보내라.'는 강력한 메시지를 받았어요!"

순간 전기에 감전된 듯 멈칫하던 우리 부부는 동시에 한 목소리로 외쳤다.

"주여, 감사합니다!"

내 생애 가장 기쁜 날이었다. 하나님께서 아내를 통해 내게 더 큰 확신을 주신 것이다. 창조주께서 직접 개입하시어, 인격도 형편없고 미천한 나를 주님의 종으로 쓰시겠다며 부르고 계셨다.

1997년 5월 10일, 신학교를 6년 만에 졸업한 나는 서울 상계동에서 교회를 개척했다. 원래, 교회를 개척하겠다는 생각은 없었다. 신학생일 때도 공부와는 담을 쌓고 살았다. 나는 늘 출석만 부르고 사라지는 학생으로 학교에 소문이 자자했다.

어쩌면 당연한 일이었다. 국민일보 지국을 두 곳이나 운영하면서 야간 신학교를 다녔기 때문이다. 항상 피로했던 나는 좀처럼 수업에 집중할 수 없었다. 간혹 신문 배달원이 빠지는 날에는 내가 대신 신문을 돌리고 지국 일을 본 뒤 신학교에 출석해야 했다. 그러니 강의실에 들어가면 몸을 가누기 힘들 정도로 피곤해서 수업 도중에 슬그머니 빠져나올 때가 많았다. 신학 공부를 열심히 해야겠다는 생각은 있었지만 도무지 수업 내용이 머릿속에 들어오질 않았다.

신학교 2학년 때의 일이다. 한번은 헬라어 수업 중 교수님이 나를 지목했다. 앞에 나와서 지금 배운 것을 칠판에 써 보라는 거였다. 건성으로 수업에 임하던 나는 멍하니 칠판을 바라보다 한 글자도 쓰지 못하고 자리로 돌아왔다.

부끄러움이 밀려들었다. 다른 신학생들은 열심히 공부하는데, 나만 홀로 뒤쳐진 기분이었다. 자꾸만 내 자신이 한심하게 느껴졌다. 결국 나는 휴학을 하고 말았다. 그 뒤 이런 저런 이유로 휴학을 거듭하며 학교를 다니는 둥 마는 둥 하다가 6년 만에야 간신히 졸업을 하게 되었다.

그 동안 아내는 신학교를 졸업하고 교회의 교구장 전도사로 열심히 사역을 했다. 나 또한 나름대로 최선을 다했다. 하지만 지난날의 방탕으로 인한 빚은 좀처럼 줄어들지 않아, 우리는 여전히 사글세방을 전전하는 어려운 형편이었다.

마장동에 살고 있을 때의 일이다. 어느 날, 문득 우리의 신세가 너무나 서글프고 처량하게 느껴졌다. 나는 한밤중에 나무가 몇 그루 서 있는 교회 근처의 공터로 나갔다. 그곳에서 한참을 흐느끼며 하나님께 따지고 또 따졌다.

'주님! 세상에 저렇게 많은 불빛과 보금자리가 있는데, 우리는 왜 내 집도 없이 떠돌아야 합니까? 우리 식구가 넷이나 되는데 단칸방도 면하지 못하게 하시니 너무 하십니다. 저 주님께서 하라시

는 대로 열심히 살고 있잖아요. 그런데 뭐가 그리 못마땅해서 우리 가정을 외면하십니까? 정말 야속합니다.'

한동안 굵은 눈물을 뚝뚝 흘리며 하나님께 따지노라니 용암처럼 뜨겁게 들끓던 마음이 차분히 가라앉았다. 이윽고 서운한 마음은 사라지고 기쁨과 감사의 마음이 내 안에 가득 채워지기 시작했다. 그때 마음속에 주님의 음성이 들려 왔다.

'네 소유의 땅이 있지 않느냐? 그것을 팔아라.'

나도 모르게 무릎을 탁 쳤다. 몇 년 전, 큰형님이 '네 몫이니 알아서 쓰라.'며 땅문서를 준 적이 있었는데, 바삐 살다 보니 그 사실을 까맣게 잊고 있었던 것이다. 처량한 심정으로 공터에서 주님께 따지던 나는 날아갈 듯 가벼운 발걸음으로 집에 돌아왔다. 길에서, 공연히 주님께 따지던 나의 어리석음을 반성했다.

마침, 전원주택 바람이 불던 때라 양평의 땅을 제법 많은 돈을 받고 처분할 수 있었다. 이제 우리도 지긋지긋한 사글세방에서 벗어나 내 집을 갖게 된단 생각에 가슴이 부풀어 오르고 구름 위를 걷는 기분이었다.

얼마 뒤, 나는 상계동에 25평짜리 아파트를 구입하고, 근처 상가 건물 3층을 임대해 개척교회를 시작했다. 하지만 이상한 일이었다. 기다리는 교인은 모이지 않고 알코올 중독자만 한사람씩 모이기 시작했다. 교회를 시작한지 3개월이 지났을 때 알코올 중독자인 조카, 인천에서 슈퍼마켓을 운영하는 여집사님의 남편, 봉천동에 사는 여전도사님의 남편이 최초의 성도가 되었다. 공교롭게도 세 사람 모두가 알코올 중독자였다.

나와 세 명의 교인은 상가 교회에서 함께 지내며 술의 유혹을 이겨 내려 했다. 교회에는 이들의 숙식을 위한 시설도 갖추었다. 얼마쯤 지났을 때였다. 잠시 밖에 다녀올 일이 있어 나는 조카에게 '잘 좀 있어 달라.'고 신신당부를 하고 자리를 비웠다.

몇 시간 뒤에 교회로 돌아온 나는 깜짝 놀랐다. 교회 여기저기에 술병이 나뒹굴고 모든 것이 난장판이 되어 있었다. 술에 취한 세 사람은 몸도 제대로 가누지 못하고 비틀거리며 큰소리로 떠들어 댔다. 만취한 중독자들이 동네 시끄럽게 고성방가를 하자 조그만 상가 건물에 비상이 걸렸다. 정신이 아찔했다.

'아차, 큰일 났구나!'

외양간

박종암 목사님은 우리나라의 알코올 중독자들을 위해 일심으로 애쓰시는 분이다. 그분 역시 과거에 알코올 중독으로 고통을 당하시다가 신앙의 힘으로 극복하고 목사가 되셨다고 한다. 박목사님은 알코올 중독의 폐해를 세상에 널리 알리기 위하여 알코올 중독에 대한 책도 쓰시고, 방송도 자주 하시는 등 아주 열정적이고 헌신적으로 활동하신다.

내가 박종암 목사님을 알게 된 것은 모 구역장님 부인의 소개를 통해서였다. 그 목사님이 알코올 중독자들을 위해 일하신다는 이야기를 듣고 얼마나 반갑던지, 내 미력한 힘이나마 박목사님의 활동에 보탬이 되고 싶었다. 이 힘들고 고단한 길, 누가 알아주지도 않는 이 외로운 길을 나보다 먼저 걸어가신 선배님이라고 생각하니 백짓장이라도 맞들면서 서로 격려하며 많은 것을 배우고 싶었다.

나는 후원 행사를 개최하여 박목사님의 활동에 힘을 실어 줄 후원자를 모집하기도 했고, 자청해서 목사님의 심부름을 해 드리기도 했다. 그러나 후원자를 만나는 것은 좀처럼 쉽지 않았다. 예나 지금이나 알코올 중독자를 바라보는 일반인의 시선은 무척이나 차갑고 냉담했다. 알코올 중독에 대해서도 일방적으로 혐오감을 표하거나 무관심하거나 그저 남의 일로 치부해 버리는 경향이 강했다.

내가 알코올 중독자를 위한 훈련원을 만들자고 주장한 것은 바로 그 때문이었다. 누군가 우리를 위해 적선하듯 도움을 주기를 기대할 것이 아니라 우리가 직접 '현장'을 만들어 우리 스스로를 구출해야 한다는 것이 내 생각이었다. 내가 말하는 '현장'이란 알코올 중독자들이 함께 생활하고 신앙 훈련을 할 수 있는 금주훈련원을 일컫는 것이다.

그것은 평소 내 소신이기도 했다. 그 전부터 나는 '외양간을 고쳐서라도 알코올 중독자 훈련원을 만들겠다.'는 말을 입버릇처럼 해 왔다. 그래서 박종암 목사님을 뵐 때마다 '알코올 중독자 금주훈련원을 해야 한다.'고 말씀을 드렸으나, 여러 가지 상황으로 인해 뜻을 이루지 못했다. 그러나 이제야말로 알코올 중독자들을 위한 금주훈련원을 만들어야겠다고 마음을 굳게 먹었다.

당시 나에게는 상계동 음주 사건 이후 교회를 정리하고 남은 2천 만원이 있었다. 그 돈으로 훈련원을 만들 만한 조용한 시골마을을 여기저기 찾아보았지만 마땅한 데가 없었다. 마음에 드는 장소를 구하려면 그 돈 가지고는 어림도 없었다.

그러던 중에 남양주 별내면 청학리에 있는 60평 정도의 우사가 보증금 500만 원에 월 50만 원 임대로 나왔다는 소식을 듣게 되었다. 소를 키우던 남편이 몇 달 전 세상을 떠나자 그 부인이 남은 소들을 처분하고 빈 건물을 임대로 내놓은 모양이었다.

청학리 현장을 방문해 보니 블록으로 된 건물 한 동이 덩그러니 서 있었다. 사방에 소똥 냄새가 진동을 했지만, 건물이 널찍하고 주위도 조용한 것이 깨끗이 청소하고 용도에 맞게 내부를 손보면 그런대로 쓸 만할 것 같았다.

곧바로 이곳을 임대한 나는 악취를 풍기는 소똥을 말끔히 치우고 대대적인 청소 작업에 들어갔다. 그리고 성전과 숙소, 식당을 만든 뒤 건물 안팎을 페인트로 깔끔하게 마감했다. 모든 작업이 끝나자 나는 흐뭇한 눈길로 건물 곳곳을 둘러보았다. 구석구석 내 손길과 정성이 미치지 않은 곳이 없었다.

이제 이곳은 한국 최초의 알코올 중독자 금주훈련원으로 문을 열게 될 것이다. '외양간을 고쳐서라도 알코올 중독자 훈련원을 만들겠다.'는 평소의 말을 그대로 실천한 것이다. '시작은 미약하나 그 끝은 창대하리라.'는 욥기의 한 구절처럼, 비록 초라한 시작이지만 머잖아 이 훈련원을 대한민국 알코올 중독자들의 요람으로 만들리라는 각오로 첫발을 내디뎠다.

다음 날부터 나는 이 훈련원에 들어올 알코올 중독자들을 모으기 시작했다. 다행히 극동방송에서 홍보를 해 주어서 환자 가족들의 문의가 제법 많이 들어왔다. 당시만 해도 국내에 알코올 중독자들을 개방으로 하는 곳은 한 곳도 없었기 때문에 훈련원에 대한 소문이 퍼지자 알코올 중독 환자들이 모이기 시작했다.

그 후 박종암 목사님도 안성에서 개방 시설을 운영하셨는데, 안타깝게도 몇 년 전 지병으로 세상을 떠나셨다. 박 목사님은 일찍이 알코올 중독의 심각성을 깨닫고 계몽운동을 펼친 선각자로, 평생을 알코올 중독자 사역에 힘쓰셨다. 비록 그분은 가셨지만, 수십 년에 걸친 그분의 노력과 헌신은 책으로 남아 알코올 중독자들의 각성과 변화를 촉구하고 있다.

남양주 청학리에 알코올 중독자들이 모여들기 시작하자 60평의 공간으로는 더 이상 인원을 받아들이기 어려워졌다. 결국 장소의 협소함을 견디지 못하고, 1년 뒤 남양주에서 양평 신원리로 시설을 옮기게 되었다.

새로 자리 잡은 곳은 산세가 수려하고 경관이 아름다운 곳이었다. 뒤로는 산이 있어 사계절의 변화를 알게 하고, 눈앞을 흐르는 남한강이 시원하게 눈을 적시었다. 아침마다 맑은 공기를 마시며 뒷산을 산책할 수 있으니 그야말로 금주훈련원으로서는 최적의 위치였다.

양평으로 장소를 옮기면서 금주훈련원은 더욱 많은 사람들에게 알려지기 시작했다. 입소문을 타고 다양한 사람들이 훈련원을 찾아왔다. 전기공, 원자력연구원, 영화배우, 학교 선생, 버스기사, 증권사 지점장, 농협 직원, 상인, 식당 주인, 공무원, 노숙자, 주방장, 시인, 경찰관 출신, 부동산중개인, 권투선수, 조폭, 대학교수, 군장교 출신, 우체국장, 택시기사, 연극배우, 축구 국가대표, 어부, 건축기사, 보일러공 등…….

수많은 이들과 함께 하는 신앙의 금주훈련원은 날이 갈수록 기쁨과 성령이 충만한 공간이 되어 갔다. 술이 없어도 서로가 힘이 되고 위로가 되어 즐거운 시간을 만들어 갔다. 그동안 술로 많은 것을 잃어버리고 방황해 온 저들에게 희망이 보이고 있었다.

후원자

알코올 중독자 훈련원이 있는 양평 신원리는 내 고향에서 그리 멀지 않은 곳으로, 옛날에는 기도원이 있던 자리였다. 그래서인지 이곳에는 조그만 방들이 제법 여러개 있었다. 겨울이 가고 날이 좀 풀리기 시작할 때쯤 나는 장에서 병아리를 몇 마리 사다가 빈방에서 길렀다. 얼마 후 날씨가 화창해지자 이제 병아리들을 밖에서 길러도 되겠다 싶었다. 나는 병아리들을 밖으로 내보낸 뒤 빈방을 정리하고, 언제라도 사람이 오면 곧바로 지낼 수 있도록 깔끔하게 도배까지 마쳤다. 그에게 전화가 온 것은 바로 그날이었다.

"나도 알코올 중독자입니다. 거기 가도 되겠습니까?"

특별한 일이 없는 한 오는 사람 막지 않고 가는 사람 잡지 않는 게 금주훈련원 운영의 원칙이었다.

"네, 오십시오."

"조건이 있습니다. 개인 방을 따로 썼으면 좋겠고, 핸드폰을 사용했으면 합니다. 또, 내가 사업을 하는 사람이기 때문에 언제든지 사업상 필요할 때는 나갈 수 있어야 합니다."

마침 병아리 기르던 방도 있고 해서 편하신데로 하세요. 하고 전화를 끊었다. 갈현만 씨는 다음 날 오후 택시를 타고 도착했다. 키는 작고 얼굴은 약간 검은 편인데, 최근 술 문제로 부인과 마찰이 잦아서 아이들과 가정의 평화를 위해 스스로 나왔노라고 했다.

그 이튿날이었다. 알코올 중독 치료차 이곳에 왔다가 봉사자가 되어 나를 많이 도와주시던 분이 상담실로 나를 찾아왔다. 법대 출신으로 헌병대 장교, 영화배우, 철학관 등 특이한 이력을 가진 분이었다. 그분은 대뜸 내게 두툼한 흰봉투를 내밀었다. 봉투 안에는 현금 200만 원이 담겨 있었다. 깜짝 놀라 물었다.

"이게 웬 돈입니까?"

"어제 택시 타고 오신 분 있죠?"

"갈현만 씨요?"

"네, 그 분이 원장님 핸드폰을 바꿔야겠다면서 이걸 주시던데요?"

너무 고맙지만, 훈련원을 운영하는 사람이 이렇게 큰돈을 받을 수는 없었다. 나는 봉투를 들고 곧바로 갈현만 씨를 찾아갔다.

"이 돈을 왜 제게 주십니까?"

"아, 전혀 부담 느끼실 필요 없습니다. 내가 증권사 지점장을 했는데 얼마 전에 모 통신사를 다루면서 큰돈을 좀 벌게 됐어요. 나한테 떨어진 돈이 많아서 아주 일부를 나누는 것뿐이니, 개의치 마시고 좋은 일 하시는 데 쓰십시오."

그는 알코올 중독자는 모두 정신병원이나 정신시설에서 가두고 치료하는 걸로 알았다고 한다. 우연히 이곳을 알게 되어 찾아왔는데 자유스러운 운영방식과 신앙공동체의 분위기가 너무 감동적이라며 자신이 물질로 섬길 수 있도록 해 달라는 것이다.

그의 말에 도리어 내가 더 큰 감동을 받게 되었다. 갈현만 씨가 오던 그 날은 내가 40일 금식기도를 시작한 날이었다. 나의 경제적 여건은 갈수록 내리막길을 걷고 있었다. 부모에게 물려받은 시골 땅을 팔아 융자를 끼고 구입한 아파트는 도저히 이자가 감당이 안 돼 팔아 버렸고, 금주훈련원도 주변에 돈을 빌리고 해서 늘 어렵게 운영하고 있던 터였다.

금주훈련원을 찾는 환자들은 많았지만 그 중에는 오갈 데 없는 사람들도 있었고, 가족들이 환자를 맡기고는 회비를 못 보내는 가족들도 많았다. 사정이 그렇다 보니 물질적인 어려움이 늘 나를 힘들게 했다.

경제적인 어려움에 허덕이다 보니 도무지 알코올 중독 금주훈련에 집중하기가 힘들었다. 기도할 때마다 나도 모르게 하나님을 향해 눈물을 보일 때가 많았다. 문득, 마장동에서 흐느끼며 하나님께 따지듯 원망의 기도를 했을 때 신속하게 응답을 받았던 기억이 났다. 내가 죽기를 각오하고 40일 금식기도를 시작한 것은 바로 그 때문이었다.

그런데 금식기도를 시작한 바로 그날 갈현만 씨가 오게 되었고, 며칠 후에는 갈현만 씨를 통해 그간 건물을 수리하고 많은 이들을 먹이고 재우고 했던 나의 수고의 대가를 몇 배로 돌려주신 것이다. 나는 뜨거운 감동의 눈물을 흘렸다.

'아, 하나님의 일에는 공짜가 없구나!'

사실 40일 금식은 체력이 약한 나에게는 무리였다. 신학교를 졸업할 무렵 동기들과 함께 21일 금식기도를 하다가 몇 번 빈혈로 쓰러진 경험이 있었다. 나의 체력과 형편을 정확하게 알고 계신 하나님은 내가 죽기를 각오한 그 날 갈현만 씨를 보내 주신 것이다. 나의 든든한 후원자이신 하나님의 응답을 받은 나는 알코올 중독자들을 사랑하시는 그분의 사랑을 다시 한 번 깨달으며 11일 만에 금식을 마쳤다.

갈현만 씨의 도움은 내가 어려운 일을 해결하는데 많은 힘이 되었다. 그분은 지금 어디서 생활하고 계신지! 그분과는 오래 전에 연락은 끊겼으나, 그분이 전해 준 따뜻한 마음만은 평생 간직하며 살아가고 있다.

2장 강도 만난 사람들

죽음

1999년 여름의 일로 기억된다. 삼십대 후반으로 보이는 한 남성이 아는 전도사님께 금주훈련원을 소개 받았다며 41세의 형을 데리고 왔다. 형은 서울에서 화공약품 유통업체를 해서 제법 많은 돈을 벌었는데 알코올 중독과 심각한 조울증으로 많은 문제들이 발생하여 데리고 왔노라는 것이었다.

특이하게도 그 형은 칼을 수집하는 취미가 있었다. 어느 나라에 좋은 칼이 있다는 정보를 입수하면 바로 해외로 나가 칼을 구입할 만큼 칼 수집에 열을 올렸다. 형은 그렇게 수집한 칼들을 가지고 이따금씩 기이한 행동을 하곤 했다. 정육점에서 소간을 사다가 백지 위에 올려놓고 칼로 썰어(칼을 간 위에 놓으면 저절로 썰어진다는 말까지 곁들이며) 그것을 친구의 간이라고 하면서 술과 함께 먹는다는 것이다. 듣기만 해도 소름끼치는 이야기였다.

그뿐만이 아니었다. 그 형은 가지고 싶은 물건이 있으면 어떻게 해서든 손에 넣어야 성에 찼다. 돈이 없어도 백화점에서 탐나는 물건을 발견하면 점원을 협박해서라도 가지고 나왔다. 일은 형이 벌이고, 그 모든 뒷감당은 온전히 동생 차지였다. 동생의 이야기를 듣고 보니, 그 형이란 사람이 상당히 조심해서 다루어야 할 환자라는 판단이 들었다. 그의 이름은 문영식이었다.

동생이 돌아간 뒤 나는 문영식의 행동을 세심하게 관찰하였다. 하루는 문영식이 나에게 이런 말을 했다.

"조심하시오. 언젠가 내가 당신의 간을 먹을 수도 있소."

섬뜩한 생각이 들었지만, 애써 태연한 얼굴로 대꾸했다.

"내 간이 필요하면 언제든지 갖다가 드시오."

괜히 쓸데없는 말을 해놓고 기분이 좋지 않았다. 그간 다양한 유형의 알코올 중독자들을 만났지만, 문영식은 내가 처음 접하는 문제적 인간이었다. 나는 그가 이상행동을 보이지는 않는지 수시로 그의 상태를 체크하였다. 훈련원에서 생활한 지 십여 일이 지나면서 문영식은 점점 안정을 찾아가는 것처럼 보였다. 예배시간에도 진지하게 임했고, 다른 사람들과 크게 두드러진 갈등도 없었다. 그에 대한 긴장감이 조금씩 누그러지며 안도감이 느껴졌다.

그러나 문제는 며칠 뒤에 일어나고 말았다. 그 날 문영식은 갑자기 동생을 불러달라며 나를 찾아왔다. 그동안 자신이 동생과 가족들을 무척이나 괴롭혔는데, 여기 와서 자신이 한 짓을 돌이켜보니 너무 미안해서 미칠 것 같다며 사과를 해야겠으니 빨리 동생을 불러달라는 것이다.

동생과 통화를 시도해 보았지만 연결이 잘 되지 않았다. 나는 그가 이곳 생활에 잘 적응하는 것이 급선무라고 생각하고 그를 다독이며 안정을 취하도록 했다. 하지만 그는 잠시 조용해지다가도 불현 듯 과거 생각이 나면 다시 어쩔 줄을 모르고 힘들어 했다. 지독히 불안정한 그의 모습을 볼 때마다 이럴 때는 어떻게 도와야 할지 앞이 캄캄했다.

그 무렵, 갑자기 서울 나갈 일이 생겼다. 나는 몇몇 형제에게 그를 잘 좀 지켜보라고 부탁하고 서울을 다녀왔다. 왠지 마음이 불안하여 서둘러 돌아와 보니 사람들이 웅성웅성하고 있었다. 문영식이 방금 전 뒷산 나무에 목을 매고 자살하여 이미 생명이 끊어진 상태라는 것이었다. 나는 급히 경찰에 신고하고 유족들에게 알렸다.

말로만 듣던 조울증 자살, 내가 알코올 중독 현장에서 처음 겪는 사고였다. 알코올 중독이 얼마나 무서운 병인지 다시 한 번 크게 실감하는 참담한 순간이었다.

어느 날, 한 아버지가 알코올 중독자인 딸을 내게 데려왔다. 수십 군데 정신병원에 입원을 시켜 봐도 딸의 증세는 나아지지 않았고, 이제는 딸이 '병원에 좀 그만 넣으라.'며 대들기까지 해서 어떻게 해야 할지 막막하다는 것이었다. 나에게 딸의 문제를 털어놓는 아버지의 모습에 연민이 느껴졌다.

딸의 아버지는 나와 교회 학교에서 봉사하면서 만난 사람이었다. 아버지는 군법무관을 했었는데 가정교육이 얼마나 엄격한지 어린 딸을 거의 군대식으로 키웠다고 한다. 딸은 밥 먹는 시간, 화장실 갔다 오는 시간까지 체크하는 아버지가 너무 무섭고 싫어서 고등학교를 다니다 집을 나가 버렸다. 아버지의 지나친 사랑과 관심이 오히려 딸을 망가뜨린 것이다. 집을 나간 딸의 삶은 방황의 연속이었다. 일본에 가서 야쿠자 조직에 몸담기도 했고, 두목과 살기도 했다고 한다.

나는 여성 알코올 중독자들을 받지 않았다. 여성들은 더 다루기가 힘들고, 반드시 사고가 일어나기 때문이다. 이 경우엔 평소 잘 알고 지내던 딸의 아버지가 하도 부탁을 해서 어쩔 수 없이 맡았지만, 사실 이만저만 걱정이 아니었다.

이 딸이 술 사오는 데는 또 얼마나 영악한지 내가 자리만 비웠다 하면 그 시간을 이용해서 몰래 술을 사가지고 왔다. 언젠가 동네에서 초상이 났을 때는 상가에 가서 소주를 한 박스 얻어다가 남자 중독자들에게 나누어 주어서 모두 곤드레만드레 취한 적이 있었다. 하여간 술 마시는 데는 귀신같았다.

그녀는 피아노 반주를 잘 해서 예배 때 봉사를 했는데, 자기가 기분이 좋지 않으면 음을 갑자기 올리거나 내려서 난처했던 일이 한두 번이 아니었다. 처음 여자 알코올 중독자를 만났는데 내가 아주 제대로 만난 것 같다.

다행히 언제부턴가 그렇게 공격적이고 감정의 굴곡이 심하던 딸이 어느 순간 양처럼 온순해지기 시작했다. 웃음이 별로 없었는데 어느 날부터는 웃기도 잘하고, 성격도 밝아지고 명랑해졌다. 음식 솜씨가 좋아서 반찬도 곧잘 만들었다.

상태가 많이 호전된 딸은 어느 날 집으로 돌아가게 되었다. 집으로 돌아간 뒤 한동안 소식이 없더니 몇 년 만에 연락이 왔다. 제주도인데 좋은 남자를 만나서 잘 살고 있다고 하면서 주소를 알려 달라는 것이었다. 자기네 귤농장에서 지은 귤을 수확 때마다 보내 주겠다며 정성껏 포장한 귤을 보내주었다. 잘 살고 있다는 그 말에 얼마나 기뻤는지 모른다.

그 딸의 아버지는 늘 죄지은 사람처럼 딸만 보면 눈물을 흘리면서 풀이 죽어서 살았다. 어느 날 아는 분한테 전화가 왔다. 그 딸이 얼마 전 술을 마시고 자다가 심장마비로 죽었다고 알려왔다. 내 애간장을 말리며 그토록 마음고생을 시켰던 그 딸이 잘 지내고 있다며 귤처럼 환하고 예쁜 소식을 전해 주어서 얼마나 기뻤는데, 한창 젊은 나이에 벌써 세상을 떠나다니! 나도 모르게 눈물이 흘렀다. 무엇보다 딸을 앞세운 그녀의 아버지를 생각하니 더욱 가슴이 아팠다. 그 맑은 웃음이 보기 좋았는데 벌써 가다니!

어느 날 사촌형이 알코올 중독자 동생을 데리고 왔다. 집은 화곡동인데 부모형제도 아무도 없고, 이혼 후 두 아들도 모두 집을 나갔다고 한다. 사촌동생인 강창성 씨는 50대 초반으로, 술만 마시면 길에서 픽픽 쓰러지는 사람이었다. 결핵을 심하게 앓아서 그런지 몸도 비쩍 마르고 기침이 심했으며, 호흡도 거칠고 가팔랐다.

강창성 씨의 사촌형은 동생을 맡기면서 보호자 동의서를 작성하고 돌아갔다. 그런데 두 달이 지난 후부터는 이상하게 연락이 안 됐다. 알고 보니 미리 전화번호까지 바꾼 뒤 아예 연락을 끊은 것이다.

그 후 강창성 씨는 이곳에서 10여 년간 금주를 하면서 별 문제없이 생활을 했다. 그러다가 패혈증이 와서 입원을 시켰는데 병원에서는 가망이 없다며 마음의 준비를 하라고 했다. 강창성 씨에게 자녀가 있기 때문에 사망을 하면 반드시 알려야 했다.

그래서 나는 강창성 씨가 살아 있을 때 동사무소에서 가족관계증명서를 발급 받았다. 서류를 보다가 깜짝 놀랐다. 부모형제가 없다던 강창성 씨의 모친이 버젓이 살아 있었고, 동생도 있었던 것이다. 더욱 기가 막힌 것은 사촌형이라고 한 사람이 친형이었다는 사실이다. 처음부터 나에게 가족관계를 속였던 것이었다. 나는 가까스로 가족들의 연락처를 알아내서 강창성 씨의 자녀들과 모친, 그리고 형님에게 차례로 연락을 했다. 모친은 나이가 있으신 데도 목소리가 무척이나 쩌렁 쩌렁했다. 나는 모친에게 이렇게 말했다.

“우리가 강창성 씨를 10여 년간 모시고 있었는데 이제 얼마 못 사실 것 같습니다. 지난날은 잊으시고 병원에 좀 오셔서 한 번 보시고 마음의 준비를 해야 할 것 같습니다.”

그러자 강창성 씨의 어머니는 와락 역정을 내며 말했다.

“그런 사람들 죽으면 국가가 알아서 장례를 치러 주는 것 아니에요? 왜 이제 와서 전화를 하는 거예요?”

‘아, 이럴 수가……!’

친형은 사촌형이라고 속이고, 모친은 자식의 죽음 앞에서 자기 자식을 모른다고 한다. 이 비참한 현실이 바로 알코올 중독자들의 세계다. 결국 강창성 씨는 그렇게 세상을 떠나고 말았다. 이제 장례를 치러야 하는데 경찰에서 연락을 해도 가족들은 나타나지 않았다. 가족들을 기다리다가 결국은 강창성 씨를 무연고자로 처리해서 우리와 병원이 반씩 부담하여 장례를 치렀다. 아들도 있고 모친도 있고 형도 있건만 그의 죽음 앞에는 아무도 없었다.

지금까지 나는 수많은 알코올 중독자들의 장례를 지켜봐 왔다. 그때마다 새삼스럽게 놀라는 것이 두 가지 있다. 첫 번째가 장례식

장에 나타난 가족들의 얼굴이 밝은 것이고, 두 번째가 대개는 시신을 운반할 사람조차 없다는 것이다.

사실 나는 강창성 씨와 10여 년을 함께 지내면서 많은 정이 들었다. 그는 성격이 조용하고 매우 꼼꼼했으며, 몸은 약하지만 배려심이 많은 사람이었다. 그런 그가 가족들에게는 철저하게 버림을 당했다. 그 이유는 바로 술이었다.

강창성 씨의 외로운 죽음을 가슴 아프게 지켜보면서 다시 한 번 알코올 중독의 비극을 국민들에게 알려야 한다는 각오와 결연한 의지가 솟구쳤다. 술 광고, 술 규제 완화, 여성 음주 폭발, 권주 문화……. 언제까지 방관하고만 있을 것인가. 이젠 심각하게 고민해야 할 때이다.

의처증

강서구에 있는 큰 교회 부목사님이 연락을 주셨다. 성도 중에 술 문제가 있는 분이 계신데, 우리 훈련원에 보내도 되겠냐는 전화였다. 나는 누구든지 술 문제로 오겠다고 하면 깊이 물어보지 않고 오시라고 말씀드린다.

며칠 후, 부목사님이 어느 부부와 함께 양평에 오셨다. 알코올 중독자인 남편의 의처증 때문에 부인은 너무나도 지친 모습이었다. 그동안 남편 문제로 병원과 정신시설을 수없이 다녔다고 한다. 그러나 남편의 의처증은 날로 심해져서 이제는 도저히 함께 살 수 없는 지경이라고 한다. 알코올 중독자들은 대부분 의처증이 심하다. 나는 부인에게 너무 염려하지 말고 앞으로 편안히 계시라고 하면서 안심을 시켜 주었다.

남편 황창성 씨는 김포가 고향이고 나이는 55세이다. 키가 크고 눈이 부리부리한 그는 지역사회와 친구들 사이에서 꽤나 인정받았던 사람이었다. 외모에서 풍기는 이미지도 그렇거니와, 남다른 말솜씨와 행동에서 왕년에 한가락 하던 내공이 느껴졌다. 그러나 그는 오랜 음주로 황폐한 시간들을 보내고 있었다.

어느 날, 고성에서 특수목회를 하시는 목사님이 전화를 주셨다. 황창성 씨를 특별히 주시하라는 염려의 전화였다. 언젠가 황 씨가 고성에서 지낸 적이 있었는데 그때 목사님을 몹시 힘들게 했던 모양이었다. 나중에 안 사실이지만, 놀랍게도 그는 모 정신병원에서 보호사와 간호사를 침대에 묶어 놓고 탈출한 사건의 주동자였다. 그제야 언젠가 TV에서 뉴스를 보았던 기억이 났다.

황창성 씨가 온 지 두 달 정도 됐을 때 부인이 면회를 왔다. 가족들이 면회를 오면 나는 먼저 상담실에서 상담을 진행한다. 한참 상담을 하고 있는데 갑자기 밖에서 거친 숨소리가 들렸다. 이상한 느낌에 문을 열어 보니 아뿔싸! 황창성 씨가 벌건 얼굴로 나를 노려보는 눈빛이 마치 '지금 내 아내하고 무슨 짓을 하고 있지?' 하는 것 같았다. 이를 눈치 챈 부인이 얼른 남편의 팔을 잡고 데리고 나가려 하자 황창성 씨는 아내에게 심한 욕설을 퍼부었다.

'아, 의처증이 발동했구나! 부인이 그동안 얼마나 힘들었을까? 훤한 대낮에, 그것도 상담실 옆에 사람이 있는데도 나를 의심하다니!'

'그래서 고성의 목사님이 조심하라고 했구나.' 하는 생각이 들었다. 황창성 씨의 의처증은 매우 심각한 단계로 치닫고 있었다. 황창성 씨의 의처증이 시작된 것은 맨 처음 정신병원에 갔다 오면서부터였다. 술만 마시면 동네를 시끄럽게 하고 아이들과 아내에게 폭력을 가해서 견디다 못해 강제입원을 시켰는데, 그때 병원에 갔다

온 이후로 '어느 놈하고 만나길래 나를 정신병원에 강제로 가두어 놓느냐.'면서 의처증이 시작됐다고 한다.

부인이 면회 오기 전까지만 해도 황창성 씨의 컨디션은 꽤 좋은 편이었다. 그동안 폐쇄된 곳을 다니다가 이렇게 경치 좋고 개방된 환경에 오니 마음이 편안하다며 바깥일을 모두 정리하고 이곳에 들어와서 여생을 보내고 싶다고 미소를 짓던 그였다. 그런데 아내가 면회를 오면서 그와 나의 신뢰 관계는 깨지고 말았다.

그 일이 있은 뒤 나를 대하는 황창성 씨의 태도가 예전 같지 않았다. 호의와 신뢰의 눈빛이 경계와 증오의 눈빛으로 바뀐 것이다. 의심스러운 눈초리로 나를 바라보는 황 씨를 볼 때마다 '아, 의처증이란 정말 무서운 병이구나!' 하고 다시 한 번 생각하게 된다.

황창성 씨는 누가 자기 부인만 쳐다봐도 의심을 했다. 그러니 주변 사람들과의 관계가 원만할 리가 없었다. 인간관계가 쑥대밭이 되어도 부인은 그저 남편이 낫기만을 기대하며 헌신적으로 뒷바라지하였다.

훈련원을 떠난 황창성 씨에게 알코올성 치매 증상이 찾아왔다는 소식을 몇 년 후에 들었다. 수십 년을 함께 산 부인을 못 알아보고 아줌마라 부르고, 자기 이름도 모르는 상태로 증세가 악화되면서 급기야 요양병원에 입원하게 되었다. 요양병원에서 대소변을 못 가리는 환자로 몇 년을 누워 있던 황 씨는 결국 66세의 나이로 세상을 떠나고 말았다. 수십 년 동안 술만 마시고 의처증으로 아내를 괴롭히더니 끝내는 치매에 걸려 아무도 알아보지 못하다가 한세상을 마무리했다. 그가 남기고 간 것은 가족들의 상처뿐이었다.

쥐약도 먹겠다

사정을 모르는 사람은 의아하게 생각하겠지만, 금주훈련원에는 비상용 소주가 있다. 술기운이 없이는 견디지 못하는 사람들에게 일방적으로 금주를 강요하면 반드시 탈이 생기기 때문이다. 그래서 나는 소주를 박스로 사다가 모처에 숨겨 놓고 비상시를 대처하곤 했다.

술기운이 없이는 견디지 못하는 사람들은 취기가 떨어지면 잠을 이루지 못하거나, 자기도 모르게 산으로 올라가기도 하고 마을로 내려가기도 한다. 이러한 상황에 대처하기 위하여 술을 구비해 놓고 꼭 필요한 사람들을 위해서 가끔 사용하는 것이다.

어느 날, 안양에 사는 50대 남성이 동생을 데리고 왔다. 동생인 이수만 씨는 41세로, 인상이 아주 날카롭고 고집스러워 보였다. 명문대를 나온 그는 식품 계통에서는 알아주는 실력을 가진 인물이었다.

금주훈련원에 온 이튿날 오전에 이수만 씨가 상담실로 나를 찾아왔다. 술이 있다는 정보를 알고 있으니 자기에게 술을 달라는 것이다.

"제가 도저히 견딜 수가 없어서 집에 가려고 하는데, 소주를 주면 안 갈 수도 있습니다. 어떻게 하시겠습니까. 소주를 주시겠습니까, 안 주시겠습니까?"

술을 가지고 협상을 하려는 것이었다. 이런 경우는 술을 주면 오히려 역효과가 날 케이스였다. 정말 위험할 때 먹는 비상약처럼, 진짜로 술이 필요한 사람이 있다. 대부분 한번 술을 입에 대면 음주의 욕구가 계속 이어지기 때문에 아주 조심스럽게 판단을 해야 한다. 이수만 씨는 절대 술을 줘서는 안 되는 사람이었다.

내가 단호히 거절하자 이수만 씨는 나를 졸졸 따라다니면서 술을 달라고 아양을 떨기도 하고 협박을 하기도 했다. 그가 나를 하루 종일 얼마나 힘들게 하던지, 나는 그에게 협상의 카드를 내밀었다.

"그렇게 술을 원하니 주긴 하겠는데 조건이 하나 있소."

"무슨 조건이든 말씀만 하세요. 꼭 하겠습니다."

"소주 한 병을 줄테니 안주는 쥐약으로 먹겠다고 약속할 수 있겠소?"

술을 마시려면 쥐약도 함께 먹으라는 소리였다. 한참을 나를 쳐다보던 이수만 씨의 눈빛이 점점 심각해졌다. 그는 굳은 얼굴로 고개를 끄덕였다.

"그렇게 하겠습니다."

나는 유리잔에 탄 대추차와 소주 한 병을 그의 앞에 놓고, 먼저 유서부터 쓰라고 말했다. 이수만 씨는 긴장한 얼굴로 삐질삐질 땀을 흘렸다. 내가 가져온 대추차가 정말 쥐약인 줄 아는 것 같았다. 유서 내용을 가지고 한동안 신경전을 펼치던 이수만 씨는 갑자기 볼펜을 집어던지며 소리쳤다.

"아! 더러워서 술 안 마시고 만다, 내가!"

그는 왈칵 성을 내며 상담실 문을 박차고 나가 버렸다. 걸어가는 그의 뒷모습을 바라보며 웃음을 참느라고 속으로 얼마나 힘들었는지 모른다. 나의 연극에 당한 이수만 씨는 꽤나 자존심이 상했던지 그 후로는 정말 술을 끊고 성실하게 사는 모습을 보이기 시작했다. 식품 공장을 운영하는 그는 이따금씩 냉면과 국수 같은 먹거리를 탑차에 하나 가득 싣고 금주훈련원에 갖다 주곤 했다.

매 맞는 아버지

어느 화창한 가을 날, 안양에서 여동생이 오빠를 데리고 왔다. 오빠 이해수 씨는 43세의 전기공으로 일 잘하고 성실한 사람이었다. 그러나 현장 일을 하면서 알코올 중독이 되었다. 평소에는 더없이 좋은 사람이었지만 술만 마시면 아내와 가족들을 힘들게 하여 가정불화가 끊이지 않았다. 이를 지켜보던 여동생이 가까스로 오빠를 설득해서 금주훈련원으로 데리고 왔다.

이해수 씨는 공동생활에 곧잘 적응했다. 성격이 원만해서 함께 생활하는 다른 금주생들과도 좋은 관계를 유지했고, 나름대로 봉사정신도 있는 사람이었다. 몇 개월이 지나니 몸도 건강해지고, 심적으로도 안정돼 평온한 시간을 보내는 듯했다.

하루는 이해수 씨가 나를 찾아왔다. 잠깐 집에 가서 뭔가를 가져와야 겠다고 말하면서 외출을 요구했다. 금주생들에게 크고 작은 문제가 있을 경우 나는 항상 가족들에게 연락을 해서 상황을 알려준다. 전화를 받은 여동생은 깜짝 놀라며 소리쳤다.

"안돼요! 오빠가 집에 가면 위험해요!"

"……."

여동생의 격한 반응에 의아한 생각이 들었다. 이해수 씨는 이제 많이 안정이 되었고, 가까이서 함께 생활하며 지켜보니 사고를 칠 사람은 아닌데 무엇이 위험하다는 것일까. 내 침묵의 의미를 읽었는지, 여동생은 곧 이렇게 덧붙였다.

"오빠가 꼭 집에 다녀올 일이 있다면 원장님이 함께 가 주실 수는 없을까요? 제가 좀 불안해서 그래요. 번거롭게 해서 죄송합니다……."

여동생의 간곡한 요청을 받아들인 나는 이해수 씨를 내 차에 태워 안양으로 출발했다. 이해수 씨의 집은 작은 연립주택이었다. 문을 두드리니 안에서 인기척이 들렸다. 이해수 씨가 현관 안으로 들어서자 잠시 후 아들인 듯한 젊은 남성의 목소리가 들렸다. 뒤에서 그 소리를 듣는 순간 나는 심장이 멎는 것 같은 충격을 느꼈다.

"야, 이 새끼야! 너 왜 왔어? 너 죽을래? 빨리 꺼져! 빨리 가지 않으면 너 맞아!"

아무리 알코올 중독자 아버지이지만 아들이 아버지에게 할 소리가 아니다. 옆에서 듣고 있기에도 민망한 욕설에 어이가 없고 내심 화가 치밀었다. 내가 알기로 이해수 씨는 성격도 있는 사람인데 어째서 아들에게는 꼼짝을 못하는 것일까. 내가 옆에 있어도 이 정도인데 둘만 있었다면 무슨 일이 벌어졌을까. 나는 힘없이 돌아서는 이해수 씨의 모습을 보면서 참담함을 금치 못했다. 그제야 '집에 가면 오빠가 위험하다.'는 여동생의 말을 이해할 수 있었다.

'아, 여동생은 이 아들과의 충돌을 걱정하고 있었구나!'

다시 양평을 향해 가는 동안 이해수 씨에게 '그동안 아들에게 많이 맞았다.'는 씁쓸한 이야기를 들을 수 있었다. 음주폭력자들의 자녀는 어릴 때는 힘이 없어 아버지에 대한 반감을 참고 억누르다가 성장하면 이렇듯 폭력적인 감정을 터뜨리는 경우가 많다. 대개는 어머니에게 가해지는 위협과 폭력에 눌렸던 감정들이 폭발하면서 이러한 일들이 흔히 나타나는데 술 때문에 매맞는 아버지들이 많다는 것을 알아야 한다.

주사와 폭력이 있는 음주자들은 조심을 해야 한다. 술은 저주를 불러들이고 가정을 파괴한다. 한국 사회는 술에 대하여 위기의식을 느끼지 못하고 있다. 우리 사회는 반세기 동안 천문학적인 주류 홍보를 해왔다. 최고의 유명 스타들을 광고 모델로 앞세워 술이 좋다고 자랑해 왔으니 국민들의 술에 대한 친근감은 대단하다.

금단증상

고등학교 영어 교사 김태성 씨 부부가 찾아온 것은 선선한 바람이 불어오는 청명한 초가을 날이었다. 40대 중반의 김태성 씨는 술 문제로 인해 도저히 수업을 할 수가 없었다고 했다. 그래서 백방으로 술 끊을 수 있는 곳을 알아보다가 소문을 듣고 찾아온 것이다.

양평에 오기 전에 그는 태백 예수원에 있었다고 했다. 거기서 대천덕 신부님을 도와 가끔 통역도 하면서 1년간 잘 지냈는데 술의 유혹을 이기지 못하고 예수원을 나오게 되었다. 태백 예수원은 나도 꼭 한 번 가 보고 싶은 곳이었다. 마침 김태성 씨가 그곳에 있었다는 말을 듣고 우리는 그해 가을 소풍을 태백 예수원으로 가기로 했다.

소풍 날 아침, 우리는 김밥과 음료수 등 먹을 것을 준비해서 아침 일찍 출발했다. 우리를 태운 차가 잠시 휴게소에서 멈췄을 때였다. 다들 화장실을 다녀오는데, 갑자기 '으악!' 소리가 나더니 뒤이어 '쿵!' 하는 소리가 나는 것이었다. 소리 나는 곳을 내려다보니 며칠 전에 서울에서 온 주방장 이수영 씨가 길바닥에 쓰러져 있었다. 입에 거품을 물고 몸부림치는 양이 무척이나 고통스러워 보였다.

그는 알코올성 간질환으로 심각한 금단을 겪고 있었는데, 하필 이동 중에 이렇게 될 줄은 상상도 하지 못했다. 그나마 아스팔트에 머리가 상하지 않은 것을 다행이라고 해야 할까. 이제 태백 예수원까지는 절반 정도 왔는데, 이수영 씨의 금단 증세가 도지자 모두가 안타까운 마음으로 지켜보고 있었다.

이수영 씨는 33세의 젊은이로, 부모님이 일찍 돌아가신 탓에 사촌누님의 손에 이끌려 이곳으로 왔다. 음식 솜씨가 얼마나 좋은지 식사 때마다 우리의 입을 즐겁게 해 주는 고마운 사람이었다. 마음이 비단결같이 곱고 깨끗한 그의 꿈은 맛있는 음식을 많이 만들어 알코올 중독으로 고통당하는 분들을 섬기는 삶을 사는 것이라고 했다.

그 착한 수영이는 2010년 겨울 대전의 자취방에서 술을 마시고 자다가 심장마비로 세상을 떠나고 말았다. 그는 죽은 지 두 달이 지나서야 집주인에게 발견되었고, 뒤늦게 연락을 받은 우리가 부랴부랴 내려가서 장례를 치러 주었다. 그동안 알코올 중독자들의 죽음을 수없이 보았지만, 젊으나 젊은 나이에 죽은 수영이의 짧은 생애는 생각할수록 아쉽고 애달프기 그지없었다.

100여 명의 금주생들을 훈련시키다 보니 금단으로 인한 다양한 현상들을 수없이 목격하게 된다. 오랜 음주로 영양이 결핍되고 불면이 오면 금단 증상이 일어날 수 있다. 주변에 이러한 사람이 있으면 시급히 병원에 데려가 영양을 공급하고 수면을 취하게 해야 한다. 금주훈련원을 운영하면서 수많은 일을 겪었지만, 금단은 늘 나를 긴장시키곤 했다.

서울 00구청 공무원인 이기철 씨는 음주로 인해 결근과 지각을 되풀이하다가 더 이상 조직 생활을 감당하지 못하고 두 달간 병가를 내고 온 사람이다. 누가 봐도 과묵하고 인격적인 사람인데, 알코올 중독이 되었다. 이기철 씨는 이곳에 온 지 3일이 지날 때까지 통잠을 못 이루고 힘들어 했다.

어느 날 한밤중에 이기철 씨가 야단법석을 부리기 시작했다. 자기가 지금 영화를 찍어야 하니 모두 일어나라고 한다. 모자가 카메라라도 되는 양 영화 찍는 흉내를 내는 그의 행동이 얼마나 우습던지 동료들이 깔깔거리며 웃음을 터뜨렸다. 나는 웃고 있는 사람들에게 다가가 '저 모습이 바로 당신들의 모습'이라고 말해 주었다. 이기철 씨는 연 이틀 영화감독 버전의 금단 증상을 보이다가 겨우

잠이 들었다. 조용하고 성품 좋은 그가 이틀 동안 제 정신이 아닌 금단의 시간을 보낸 것이다.

안산에서 온 35세의 민두식 씨는 노동을 하는 사람이었다. 생김새는 산적처럼 생겼지만 마음씨는 고운 사람이었다. 어느 날 점심시간에 모두 식당에 모여 식사를 하는데 민두식 씨가 보이지 않았다. 서둘러 식사를 마치고 숙소를 찾아갔다. 그는 숙소에서 땀을 비 오듯 흘리면서 사시나무처럼 부들부들 떨고 있었다.

"식사 안 하고 혼자 뭐하시오?"

그는 숙소 앞에 서 있는 전봇대를 가리키며 말했다.

"식당에 가고 싶어도 저 전봇대가 자꾸 내 쪽으로 쓰러지려고 해서 밖에를 못 나갔어요."

파랗게 질린 그의 얼굴을 보며 정말 웃어야 할지 울어야 할지 알 수 없는 참담한 심경이었다. 금단 현상으로 대표되는 알코올 중독의 후유증이 이토록 무서운 것이다.

강남에서 부동산을 하다 오신 강만성 씨는 이곳에 오는 중독자들을 때론 부모처럼 때론 형님처럼 자상하게 보살펴 주고, 상담도 해 주는 등 나의 든든한 조력자였다. 60세가 넘은 그분은 가족들과는 이미 소통이 단절된 상태였고, 간간히 고령의 모친하고만 연락을 주고받았다. 그가 자식처럼 관심을 가지고 챙겨 주는 사람 중에 미들급 권투선수 김병연이라는 29세의 젊은이가 있었다.

어느 날 이상한 소리가 나서 뛰어올라가 보니 며칠 전에 온 김병연이 마치 권투시합을 할 때처럼 강만성 씨를 죽일 듯이 때리고 있었다. 가슴이 철렁했다.

'아이쿠, 큰일 났구나!'

김병연의 눈동자가 돌아간 것을 보니 제정신이 아닌 듯했다. 나와 몇 사람이 달라붙어 강만성 씨를 때리는 김병연을 간신히 제압했다. 우리가 조금만 늦었어도 김병연의 그 육중한 주먹에 강만성 씨는 생명을 잃을 뻔했다.

'하나님, 감사합니다.'

긴장된 몇 시간이 지나고 김병연을 괴롭히던 금단의 고통이 사라진 뒤 김병연에게 넌지시 그 때 일을 물은 적이 있다. 점심을 먹고 나란히 누워서 이런저런 이야기를 하던 중이었다.

"그때 강만성 씨가 갑자기 큰 뱀으로 보여서 그랬어요……."

강만성 씨는 이후에도 변함없이 알코올 중독자들을 위해 희생적으로 일하다가 하늘의 부르심을 받았다.

어느 날 오후, 밖에서 볼일을 보다가 '큰일이 났으니 빨리 와 달라.'는 간사의 전화를 받았다. 시급히 달려와 보니 태진이(당시 28세)가 이마에 피를 철철 흘리고 있었다. 정현이(당시 24세)가 나무 빨래판으로 세면장에서 양말을 빨고 있던 태진이 머리를 내리쳐 이마가 찢어지는 큰 상처를 입은 것이다.

나는 서둘러 태진이를 병원에 데리고 가서 이마를 꿰매고 치료를 받게 하였다. 자칫 잘못했으면 급소를 맞을 뻔했는데 이마를 다친 것이 그나마 다행이라면 다행이었다. 나중에 정현이한테 '그때 왜 그랬냐.'고 물었더니, 태진이 형이 갑자기 큰 용으로 보이면서 자기를 향하여 혀를 날름거리는 바람에 너무 놀라서 그랬다고 한다.

2000년 여름, 대전에서 목회를 하시는 목사님이 40대 부부를 데리고 왔다. 45세인 남편 정태기 씨는 힘이 좋고 배짱도 있고 말솜씨가 있는 사람이었다. 그동안 알코올 중독으로 정신병원 입·퇴원을 수차례 반복하면서 병원마다 문제를 일으킨 탓에, 이제 대전 지역에서는 받아 주는 병원이 없다고 했다.

정태기 씨가 온 지 3일이 지났을 때였다. 갑자기 회복실에서 찌르는 듯한 괴성이 들렸다. 급히 달려가 보니 정태기가 온 몸이 땀으로 범벅이 된 채 극도의 공포와 두려움에 사로잡혀 부들부들 떨고 있었다. 나는 그의 몸을 흔들며 소리쳤다.

"정태기 씨, 정태기 씨! 무슨 일입니까?"

나를 알아본 그는 덥석 내 손을 잡더니 소리를 지르기 시작했다.

"저기 엄청나게 많은 귀신 떼가 저를 공격하러 오고 있어요! 제발 저 좀 도와주세요!"

그는 온몸을 떨며 간절한 목소리로 애원했다. 나는 떨리는 그의 어깨를 잡고 말했다.

"내가 저 귀신들 다 잡아 줄 테니 안심하세요."

그는 어린애처럼 고개를 끄덕이며 가만히 내 등 뒤로 몸을 숨겼다. 나는 그가 공포의 눈길을 보내던 허공을 향해 크게 외쳤다.

"야, 이 귀신 놈들아! 까불지 말고 물러가라!"

그러자 신기하게도 두려움에 떨던 그가 금세 안정을 되찾기 시작했다. 이후 건강을 회복한 정태기 씨는 지금도 택시 운전을 하면서 우리 금주훈련원을 알리는 홍보대사 역할을 톡톡히 해 내고 있다. 그는 당시 내가 귀신을 잡아 주었다고 굳게 믿고 있다.

알코올 중독의 금단 중에는 환시, 환청, 간질환 발작 등이 가장 많이 일어난다. 죽은 사람의 목소리가 들리는 경우도 있고, 갑자기 주변 사람이 뱀이나 용, 사나운 짐승으로 보여서 순간적으로 폭력과 살인을 하게 된다. 또한 쥐떼, 곤충 등이 대량으로 보이는 바람에 '벌레를 잡아야 한다.'며 휘발유를 뿌려서 방화를 일으키는 경우도 빈번하다. 우리가 종종 신문 방송에서 접하는 '묻지마 사건'들 중에는 대부분 알코올 중독 금단 현상의 여파로 일어나는 일들이라는 점을 알아야 한다.

면도칼을 삼키고

대구에서 영업용 택시를 하시는 분이 계신데, 주변에 어려운 이웃들이 있으면 자기 일처럼 발 벗고 나서는 의로운 분이었다. 하루는 이 택시 기사 양반이 체격이 건장한 젊은이를 데리고 왔다. 온 몸에 칼자국이 나 있고 커다란 문신이 새겨진 것이, 얼핏 보기에도 예사롭지가 않았다.

34세의 권대수 씨는 폭력 조직의 행동대원으로, 그 조직에서 제법 인정을 받다가 알코올 중독이 심해지면서 조직에서 밀려난 사람이다. 가족으로는 모친과 누님이 있는데, 권대수 씨 때문에 불행하게 살고 있었다. 권 씨가 술만 마시면 무전취식을 해서 모친과 누님이 늘 그 뒷감당을 해야 했기 때문이다.

아무리 정신병원에 넣어도 나오는 날로 술을 마시는 정말 대책 없는 사람이었다. 병원에 입원했을 때 병원 직원을 협박한 일이 알려지면서 대구에서는 그를 받아 주는 병원이 없다고 했다. 모친은 그가 술집에서 사고를 칠 때마다 수십 번을 변상하고 술값을 갚아주곤 했는데, 이젠 그 짓도 지쳤다며 택시 기사를 붙잡고 도와달라고 사정사정해서 바쁘지만 데리고 왔다고 한다.

권대수 씨는 인물이 훤하게 잘 생긴 사람이었다. 돈 한 푼 없이 술집에 가도 그의 외모와 풍기는 분위기가 술을 안 줄 수 없게 만들었다. 술집을 가도 항상 양주집이나 고급 술집을 가는데, 보통 몇십만 원에서 몇 백만 원까지 술을 시키고 여종업원들을 데리고 마시다가 술이 취하면 내 배를 째라는 식이었다. 그야말로 교도소, 정신병원, 무전취식이 권대수 씨의 삶이었다.

권대수가 온 지 보름이 지났을 때였다. '교도소와 정신병원에 있다가 자유스러운 금주훈련원에 오니 너무 좋다.'고 '평생 있고 싶다.'고 하던 권대수는 바로 그 며칠 후에 사고를 쳤다. 12시가 넘은 한밤중에 나는 왠지 불안한 생각이 들어서 훈련원 주변을 돌아보고 있었다. 그런데 갑자기 권대수 씨가 다급한 목소리로 나를 불렀다.

"원장님 제가 방금 전에 면도칼을 삼켰어요."

깜짝 놀라 방에 들어가 보니 화장실에서 일회용 면도기 2개를 분해해서 삼킨 것이다. 나는 신속하게 권대수를 봉고차에 태워서 병원으로 데리고 갔다. 병원에 도착한 시각이 새벽 2시경이었다. 사진을 찍어 보니 면도날 2개가 확연히 모습을 드러냈다.

'이일을 어떻게 하나…….'

병원 로비에 앉아 고민하다가 깜빡 잠이 들었는데, 그 틈을 타고 응급실에 있던 권대수 씨가 도망을 가 버렸다. 기가 막힐 노릇이었다.

'아니 면도칼을 삼키고 어디로 갔단 말인가.'

권대수 씨는 알코올 중독으로 원인미상의 정신분열증을 앓고 있었다. 언젠가는 대바늘을 다섯 개나 삼키고도 살아난 사람이다. 그 후 몇 년이 지난 어느 날, 죽은 줄 알았던 권대수가 나타난 것이다. 살아 있는 것이 얼마나 반갑던지! 권대수 씨는 금주훈련원에서 몇 개월을 잘 지냈는데 이전에 친 사고들이 워낙에 많아서 다시 교도소에 구속이 되었다.

얼마 전, 교도소에서 나와 대구에서 어머니 모시고 잘 있다며 반가운 연락이 왔다.

'대수야, 제발 건강하게 잘 살아다오.'

술은 인간을 잔인하게 만들고, 그 후유증은 본인으로 끝나는 게 아니라 가족과 이웃, 사회와 국가에까지 치명적인 영향을 미치고 있다.

노인회장

어느 날, 직원과 함께 아침운동을 마치고 금주훈련원에서 가까운 곳으로 사우나를 갔다. 기분 좋게 사우나를 마치고 나오는데 오랫동안 나의 사역을 도와주시는 사촌누님에게서 전화가 왔다. 사람이 죽었으니 빨리 훈련원으로 들어오라는 전화였다. 어제 훈련원에 들어온 환자가 죽었다는 것이다.

돌아오는 길에 나는 생각에 잠겼다.

'어제 온 사람이 죽었다니, 누가 죽었을까.'

어제 금주훈련원에 들어온 환자는 두 사람이었다. 한 사람은 노인회 회장의 사위로, 장인 되는 분이 직접 사위를 데리고 왔다. 장인은 '사위가 아무 일도 안 하고 술만 마시면서 딸에게 폭력을 휘두른다.'며 '제발 사람 좀 만들어 달라.'고 간곡히 부탁을 하고 돌아갔다. 사위는 곱슬머리에 눈빛이 형형한 것이 제법 고집과 성격이 있어 보이고, 만만치 않아 보였다.

또 한 사람은 일산에서 온 이였다. 얼마나 오랫동안 술을 마셨던지 앙상하게 뼈만 남았고 걸음도 제대로 못 걸었다. 중환자실에 가야 할 사람이 금주훈련원에 왔으니, 죽었다면 아마도 이 사람이 아닐까 싶었다.

그러나 내 예상은 완전히 벗어났다. 일산에서 온 사람이 아니라 노인회장의 사위가 죽은 것이다. 그 건강한 사람이 죽다니, 도저히 이해가 안 가는 일이었다. 술을 마신 후에도 식사를 잘해서 지금까지 건강을 유지할 수 있었다는데, 이것 참 난처하게 생겼다. 노인회장님이 그렇게 간곡히 사위를 부탁하고 가셨는데 고작 하루 만에 죽다니!

금주훈련원은 회복실이라는 데가 있다. 처음 오는 금주생들을 회복시키는 방이다. 아침에 몇몇 금주생들이 잠자리에서 일어나 침구를 정리하는데, 어제 온 사람이 반듯하게 누운 채 깨워도 움직이지 않더란다. 느낌이 이상해서 이불을 들춰 보니 이미 심장이 멎어 있었다. 잠을 자다가 심장마비로 세상을 떠난 것이다. 나는 경찰에 신고를 하고 오전 10시쯤 장인 되시는 분에게 연락을 드렸다. 장인은 알았다고 하면서 전화를 끊었다.

그러나 아무리 기다려도 가족들은 나타나지를 않았다. 오후 6시쯤이 되어서 차량 3대가 금주훈련으로 들어오고 있었다. 고인의 가족들이었다. 나는 너무 안타깝고 죄송하여 얼굴을 들지 못했다. 그러면서도 속으로는 이상하다는 생각을 지울 수가 없었다. 사람이 죽었는데 빨리 현장에 와야 할 가족들이 무려 8시간 만에 온 것이다. 불과 20분이면 올 수 있는 거리에 살면서 말이다. 생각할수록 개운치 않은 느낌이었다.

아니나 다를까. 노인회장은 '내가 산 사람으로 금주훈련원에 맡겼으니 내 사위를 산 사람으로 돌려 달라.'면서 '사람을 죽여 놨으니 보상을 해 달라.'고 요구했다. 가족들도 모두 합세하여 나에게 모든 책임을 물었다. 만일 자신들의 요구를 들어주지 않으면 책임자를 고발하고 금주훈련원 문을 닫게 하겠다고 소리 높여 성토를 했다.

물론 가족들 마음은 십분 이해가 갔다. 돈이 있으면 당연히 위로금 정도는 섭섭지 않게 주어야 한다고 생각했다. 그러나 돈이 없었다. 훈련원 운영 자체에도 심각한 어려움을 겪고 있는 상황이었다. 가족들이 보내주는 회비에만 의지하여 훈련원을 유지하자니 너무 힘들었다. 나는 가족들 앞에 고개를 조아리며 말했다.

"보시다시피 저는 아무것도 없는 사람입니다. 가족들의 요구를 들어 드릴 수 없으니 죄송할 따름입니다. 모든 것을 가족들 처분에 맡기겠습니다. 금주훈련원 문을 닫게 하셔도 좋고, 저를 고발하셔도 좋습니다. 알아서 하십시오."

가족들은 시신을 옆에 두고 나와 협상을 하다가 도저히 안 되겠다 싶었는지 그냥 돌아가고 말았다. 그날 밤 12시가 됐는데, 가족들이 다시 나타났다. 장인은 내게 미안하다면서 자기 마음은 그게 아닌데 가족 중에 섭섭해 하는 사람이 있어서 그랬다며 사과를 하고는 죽은 사위를 데리고 갔다.

20여 년간 만났던 수많은 알코올 중독자들은 대부분 세상을 떠났다. 살아 있는 사람들도 물론 있지만, 저들의 삶은 사는 게 아니다. 인간을 가장 비참하게 만드는 술, 이젠 국민들이 경각심을 가져야 한다.

기억장애

알코올 중독자들은 어떻게 보면 세상 근심 없이 살아가는 사람들이다. 주변상황이 어떻게 돌아가든지 아무런 걱정이 없다. 자기에게 필요한 것은 오직 술이다. 가정이 다 망가지고 주변 사람들이 다 떠나도 전혀 의식이 없다.

알코올 중독자들은 내일을 약속 못하는 사람들이다. 아니, 약속을 할 수가 없다. 금세 잊어버리거나 몸이 안 따라 주기 때문이다. 뇌가 정상적인 작동을 멈추어 버렸기 때문이다. 알코올 중독자들에게 알코올성 치매가 빨리 오는 것은 술이 뇌를 공격하기 때문이다.

부산에서 오신 분이 있다. 우리는 그 분을 갈매기형이라고 부른다. 그분은 기억장애로 유명한 분이다. 타일 기술자인 그가 우리 훈련원에 온 지는 십여 년이 지났다. 부인과 자녀들은 각자 자기 위치에서 행복하게 살면서 일 년에 한 번 정도 형을 만나러 온다.

갈매기형은 술을 마시지 않으면 정말 있는지도 모를 정도로 조용한 분이다. 십여 년 전, 이분이 금주훈련원에 처음으로 오셨을 때 욕하는 소리를 들었는데 만 하루를 꼬박 지치지도 않고 욕을 해 대는 것이었다. 아무리 시끄럽다고 말려도 소용이 없었다. 욕하기 대회가 있다면 세계 기네스북에 오를 정도의 실력이다. 그때는 얼마나 그 욕이 저주스럽던지 대체 저런 사람하고 가족들이 어떻게 살았을까 하는 생각까지 했다.

이제 갈매기형은 이 곳을 자기 집처럼 여기고, 집에 가고 싶다는 소리를 한 번도 하지 않는다. 그 이유는 과거의 모든 일들이 뇌에서 지워져 버렸기 때문이다. 그는 방금 자신이 한 말도 잘 기억하지 못한다. 심지어 자기 나이도 모른다. 그저 웃으면서 어린아이처럼 살아갈 뿐이다.

정도의 차이가 있을 뿐, 대부분의 알코올 중독자들은 기억장애를 가지고 있다. 술은 인간의 뇌를 공격해서 무력화시키고 사람을 바보로 만들기 때문이다. 그러므로 항상 사람을 만날 때는 그 사람의 음주 패턴이나 부모의 음주력을 확인하는 것도 살아가는 지혜이다. 음주 문제가 있는 사람과 약속을 했다가는 큰 낭패를 당할 수도 있다. 술에 집착된 사람을 만나면 너무 소중한 시간들과 많은 것들을 잃어버릴 수 있다.

노숙자

40대 중반의 이왕성 씨가 금주훈련원에 들어왔다. 머리가 어깨까지 내려오는 것이 언뜻 보기에는 도인 같은 풍모였다. 오른쪽 목 부분에는 주먹만 한 혹이 있는데, 생긴 모습은 사람들이 가까이 하기엔 쉽지 않은 험악한 인상이다. 천호동에 있는 집에는 장애인인 형님과 동생, 그리고 모친이 살아 계신다고 했다.

이왕성 씨는 노숙자 생활을 오래 한 사람으로, 1년 중 6개월은 정상적인 생활을 하고 6개월은 노숙자 생활을 했다고 한다. 금주훈련에 온 지 3개월 정도 지나자 이왕성 씨가 마치 본래 이곳에 있었던 사람처럼 자리를 잡았다.

얼마나 힘이 좋은지 몇 사람이 달라붙어 할 일도 혼자서 척척 해냈고, 책임감도 있어서 무슨 일을 맡기면 빈틈없이 해 냈다. 험악한 인상 뒤에는 인정 많고 착한 심성이 숨어 있었다. 성격도 쾌활하여 주변 사람들을 즐겁게 해 주었다. 이왕성 씨의 고민은 단 한 가지, 목에 있는 혹이었다. 남에게도 혐오감을 주고, 자기 자신도 혹으로 인한 피해의식과 열등감으로 술을 더 마시게 됐다고 한다.

어느 날 이왕성은 나를 찾아와서는 자기 목에 있는 혹 이야기를 하면서, 이 혹을 떼어 주면 술 안 마시고 금주훈련원에서 평생을 봉사하면서 살겠노라고 사정을 하였다. 제발 혹 좀 떼어 달라는 부탁이었다. 나는 그렇게 해보겠노라고 약속을 했다. 얼마 후, 병원을 운영 하시는 천 원장님께 이왕성 씨 사정을 이야기하고 수술을 부탁드렸다. 천 원장님은 한번 데리고 오라며 쾌히 응낙하셨다.

외과 전문의인 천 원장님은 군의관 출신으로, 우리 금주생들의 건강을 살뜰하게 챙겨 주시는 의료인이시다. 금주생들은 오랜 음주로 자신의 몸을 돌보지 못한 사람들이라 각자 다양한 질병을 가지고 있었다. 천 원장님은 우리 금주생들의 어려움을 헤아려 수술도 해 주시고, 관심을 가져 주시는 금주훈련원의 든든한 주치의이시다.

천 원장님의 도움으로 이왕성은 순조롭게 수술을 받게 되었다.

두 시간 정도의 수술을 마친 이왕성의 모습은 모두를 놀라게 했다. 목에 달린 거대한 혹 덩어리가 흔적도 없이 사라지고 만 것이다. 통증도 별로 없이 혹을 제거한 이왕성은 기뻐서 어쩔 줄 몰랐다.

그러나 어처구니없게도 혹이 떨어진 다음날 이왕성은 금주훈련원에서 사라지고 말았다. '혹 떼어 주면 술 끊고 봉사하며 살겠다.'고 약속한 사람이 혹 떼어 주니까 하루 만에 없어진 것이다. 어이가 없었지만 이미 사라진 사람을 어쩌겠는가. 그래도 이왕성의 혹을 떼어 준 것은 역시 잘한 일이라는 생각을 했다. 사실 이왕성의 혹을 볼 때마다 늘 마음 한 구석이 답답했는데, 수술 후에 혹이 말끔히 사라진 걸 보니 내 혹이 떨어져 나간 것처럼 후련하기 짝이 없었다. 늘 폐를 끼치는 천 원장님께 고맙고 죄송할 따름이었다.

6개월 정도를 금주훈련원에서 잘 지내고 혹까지 없어진 이왕성은 주기가 와서 훈련원을 뛰쳐나간 것이다. 이왕성은 나간 지 3일 만에 '죄송하다.'며, '내가 왜 이런 짓을 했는지 모르겠다.'고 후회하는 전화를 걸어 왔다. 그러나 그 또한 마음뿐이라는 걸 나는 안다. 그는 한 번 시작한 술은 몸이 거부할 때까지 끝까지 마셔야 되고, 더 이상 술을 마시지 못할 지경에 이르러서야 탈진해서 나타나는 사람이었다.

밖에서 노숙을 하던 이왕성 씨는 나간 지 6개월이 지난 뒤 머리는 산발을 하고 다시 금주훈련원으로 돌아왔다. 술을 안 마실 적에는 궂은 일들을 도맡아 하고, 이곳에 오는 사람들을 편하게 안내도 잘 해 주고, 옷도 빨아 주고, 식사도 대신 타다 주고, 농사일도 잘하고, 산에 가서 칡도 몇 자루씩 캐다가 말려 놓는 사람이 이왕성 씨다.

그러나 그는 술을 마시다가 간경화가 악화되어 55세의 나이로 세상을 떠나고 말았다. 그의 삼손 같은 힘도 쾌활함도, 아름다운 마음도 술을 이기지 못하고, 술에게 철저히 지배당한 채 술이 이끄는 대로 술의 인생을 살다가 세상을 떠났다.

‘이왕성 씨, 이제 당신의 세상은 술이 없는 세상이니 안심하시구려! 한 세상 힘들게 살았는데 하늘나라에서 우리 기쁨으로 만납시다.’

알코올 중독으로 앞서 간 수많은 사람들이 그리운 밤이다.

3장 금주훈련원

청정마을

금주훈련원이 있는 괴산은 산도 아름답지만 기암절벽이 있는 쌍곡계곡은 물이 맑기로 유명한 곳이다. 금주훈련원과 가까운 쌍곡계곡에는 소금강이 있는데, 한 폭의 산수화 같은 절경을 자랑하는 곳이다. 금강산의 가파른 기암절벽을 축소해 옮겨놓은 듯하다.

깨끗한 물이 흐르는 쌍곡계곡에는 보기 드문 토종 물고기가 서식한다. 금주훈련원 앞에도 맑은 물이 흐르는 큰 개울이 있다. 이 개울에는 다양한 어종의 고기들이 살고 있다. 피라미, 모래무지, 붕어, 버들치, 미꾸라지, 꾸구리, 메기 등…….

우리 금주생들 중에는 다양한 재주를 가진 사람들이 많다. 심지어 맨손으로 메기를 잡는 사람도 있다. 서울 길동에서 온 김성만 씨는 고기를 잘 잡기로 소문난 사람이다. 투망을 얼마나 잘 던지는지 달인에 가까운 실력이다. 고기가 몰려있는 곳에 한 번 던지면 많게는 수십 마리씩 잡는다. 해마다 여름이면 민물고기 매운탕이 생각나는데, 그럴 때 김성만 씨에게 부탁을 하면 모든 것이 금방 해결된다.

김성만 씨와 강원도에서 온 권달수 씨, 그리고 고기 담는 통을 가지고 다니는 사람 이렇게 세 명이서 나가면 100명이 먹을 수 있는 분량의 민물고기를 손쉽게 잡아 온다. 이들이 고기를 잡아 오면 잡아온 고기를 손질하는 사람이 있고, 손질한 것을 요리하는 사람이 있다. 각자의 특기에 따라 금주훈련원에서 맡은 일들이 다르다.

주방장, 이발, 운전, 청소, 건물관리 등 모든 영역에서 금주생들 스스로가 자발적으로 움직인다. 금주훈련원은 국가의 지원이나 후원이 없이 순수하게 가족들이 보내주는 선교회비로 운영된다. 어려운 점도 많이 있지만 서로 자원하여 운영해 나간다.

. 사실, 술의 유혹과 집착을 이기는 일이 쉽지 않다. 중요한 것은 술이 없는 상태에서 즐거움과 행복을 깨닫게 하는 일이다.

그래서 나는 이 일을 하면서 가장 기본적인 세 가지 원칙을 세우게 되었다.

'첫째 잘 먹자, 둘째 잘 자자, 셋째 잘 놀자.'

금주생들에게 먹는 것, 자는 것, 노는 것은 매우 중요한 프로그램이다. 술의 유혹과 집착을 이기려면 무엇보다 환경이 중요하다. 대부분 알코올 중독자는 움직이기를 싫어하는 사람들이다. 오랜 기간 술을 마시면서 모든 게 굳어져 있다. 저들을 운동장으로 끌어내서 움직이게 해야 한다. 몸이 굳으면 마음도 굳어지기 때문이다.

금주훈련원은 운동장이 넓어서 축구장, 배구장, 게이트볼장, 족구장, 농구장, 탁구장 당구장 등 모든 운동을 마음껏 할 수 있는 환경이 갖춰져 있다. 금주훈련원에서는 해마다 봄가을로 4개 팀이 모여서 한마음 체육대회 행사를 한다. 체육대회에 대비해서 평소에 항상 각 종목의 선수들을 뽑아서 부단히 훈련을 시킨다. 모두가 행복한 마음으로 행사를 준비한다.

괴산은 고추의 고장이다. 대부분의 농가가 고추농사를 짓느라 바쁘다. 고추농사는 누구나 손쉽게 할 수 있는 일이라 언젠가부터 몇몇 금주생들이 훈련원 옆집의 고추농사를 조금 도와드렸다. 그런데 그게 소문이 났는지 일손이 부족한 농번기가 되면 마을 사람들이 일을 거들어달라고 앞다퉈 도움을 청해 왔다.

봉사를 나간 금주생들은 몸을 아끼지 않고 일을 했다. 다들 술만 마시지 않으면 정말 성실하고 천사 같은 사람들이다. 나는 금주생들이 마을 봉사를 나가면 '밥은 꼭 훈련원에 와서 먹도록 하라.'고 당부하곤 했다. 금주생들에게 올바른 봉사정신을 갖도록 하기 위해서였다. 그래도 금주생들은 아무 불평 없이 즐거운 마음으로 자청

해서 마을 봉사를 나가곤 했다.

그런데 나중에 알고 보니, 마을 주민들이 금주생들에게 담배값을 챙겨 준다는 것이다. 주민들에게 아무리 그러지 말라고 부탁해도 고쳐지지 않았다.

대부분의 동네 주민들은 금주훈련원을 고마워하고 있었지만, '금주훈련원은 봉사를 해 주는 집만 해 준다.'고 섭섭해 하시는 분들이 더러 있었다. 그런 이야기가 나온 후로는 마을 이장님을 통하여 정식으로 봉사 신청을 하도록 창구를 단일화하였다.

금주훈련원은 이웃들과의 아름다운 관계를 유지하면서 발전해 나갔다. 면에서는 행사가 있으면 금주훈련원이 함께 할 수 있도록 항상 초청을 해 주었다. 더욱 고마운 것은 면에서 오갈데 없는 어려운 금주생들이 기초수급과 의료 혜택을 받을 수 있도록 행정적인 지원을 아끼지 않는다는 점이었다.

비록 오랜 세월이 지났지만 빛바랜 기억 속에서도 아름답게 남아 있는 괴산 금주훈련원 시절이 언제나 그립다. 당시 장연면 면장님도 참으로 자상하고 인자하신 분이었다. 아름다운 마을에서 욕심없이 살아가던 마을 사람들의 순수한 모습을 떠올리노라면, 괴산 장연면이 '청정지역'이라 일컬어지는 것은 경치보다 더 아름다운 청정인들의 고장이기 때문이라는 생각이 든다.

헛개나무

하루는 우연히 하우스에서 오이 재배를 하는 동네 분을 만나 집에까지 모셔다 드린 적이 있었다. 이런저런 이야기 끝에 그분이 이런 말을 하셨다.

"금주훈련원이라……. 술꾼들에게 진짜 좋은 게 있지. 그것만 먹으면 모두 술을 끊을 수 있어."

나는 솔깃해서 물었다.

"그게 뭔데요?"

"헛개나무라고, 이 동네 할아버지 한 분이 그걸 많이 가지고 계신데 좀 비싸. 내가 소개를 하면 좀 싸게 해 주실 거야. 생각 있으면 나한테 말해. 헛개나무 할아버지 소개해 줄게."

사실 헛개나무가 술꾼들에게, 특히 간에 좋다는 이야기는 그 전부터 많이 들었다. 그러나 가격이 비싸서 선뜻 구입하기가 어려웠다. 헛개나무 할아버지를 소개해 주겠다는 동네 분의 호의도 어색한 웃음으로 흘려버릴 수밖에 없었다.

그런데 그날 저녁 9시경 성길태 씨에게서 전화가 온 것이다. 성길태 씨는 금주훈련원에 왔다가 아예 이 근처에 정착한 이였다. 서울 유명 모 식당의 지배인이었던 그는 가정도 성실하게 잘 이끌어 가고, 업계에서도 인정받는 사람이었다. 불행히 알코올 중독에 걸려 서비스업종 종사자가 해서는 안 될 실수를 거듭하다가 결국 지배인을 그만두고 금주훈련원에 들어왔다.

사람이 얼마나 성실한지 첫날부터 구석구석 깨끗하게 청소를 해서 금주훈련원이 반짝반짝 빛이 나는 것 같았다. 지배인 출신답게 강사로 오시는 분들과 면회를 온 가족들을 수준있게 섬겼다. 여기 있는 동안 '이곳이 너무 좋다.'고 그렇게 노래를 부르더니, 결국은 부인과 함께 이사를 왔다. 그가 정착한 곳은 깊은 산속 딱 네 가구만 사는 조용한 곳이었다. 부인도 늘 남편 옆에 있어 주는 마음씨 고운 여성이었다. 이 부부의 도움으로 괴산의 금주훈련원도 든든하게 자리를 잡게 되었다.

어쨌든 그날 저녁 전화를 건 성길태 씨는 평소와 달리 흥분된 목소리였다.

"오늘 산에서 너무 귀한 것을 발견했어요. 금주생들 모두 술을 끊게 해 주고 망가진 간을 다 고칠 수 있는 보물을 발견했다고요!"

나는 침착하게 물었다.

"도대체 그게 무엇인데 그렇게 야단입니까?"

"헛개나무요, 헛개나무! 제가 오늘 머루와 다래를 따러 집사람하고 이웃집 사람하고 셋이서 깊은 산에 들어갔는데요. 한참 올라가다 보니 누군가 베어 놓은 나무가 보이는 거예요. 이웃집 사람이 그걸 보더니 '어, 헛개나무네?' 하는 거예요……."

순간 성길태 씨는 태연한 척 표정관리를 하며 '이게 헛개나무군요.' 하고 지나갔는데, 주변을 유심히 살펴보니 그 일대가 헛개나무 군락지였다는 것이다. 나는 그의 이야기를 들으며 '헛개나무 할아버지가 나무를 하는 장소가 바로 거기로구나.' 하는 생각이 들었다. 힘없는 노인이라 헛개나무를 많이는 못하고 필요할 때마다 조금씩 잘라다가 토막을 내서 장에 내다파는 모양이었다. 성길태 씨가 그 할아버지만의 비밀 장소를 알아 낸 것이다.

잔뜩 들뜬 성길태 씨는 당장이라도 헛개나무를 하러 가자고 채근했다. 솔직히 좀 고민스러웠다.

'이일을 어떻게 해야 하나. 헛개나무 할아버지에게 말해서 사 오는 게 옳은 일일까. 그러면 얼마를 드려야 하나. 만약에 너무 비싸게 불러서 살 수가 없다면 어떻게 하나. 또 안 판다고 하면 어떻게 하나.'

별의별 생각이 다 떠올랐다. 사실 헛개나무가 발견된 산은 어느 한 개인의 소유지가 아니라 국립공원과 연결되어 있는 깊은 산속 국유지였다. 나는 비밀리에 헛개나무를 가져오는 것으로 결론을 내렸다. 헛개나무 할아버지에게는 미안한 일이었지만, 나로서는 우리 금주생들이 건강을 회복하는 데 도움이 된다면 무슨 일이든 하고 싶었다.

나는 동트기 전에 일을 해치우기로 결심했다. 길을 아는 성길태 씨가 앞장을 서기로 하고, 힘 좋은 특수임무조 5명을 선발하였다. 나무를 벨 장비를 봉고차에 싣고 동이 틀 무렵에 출발하여 마침내 야생 헛개나무를 가져오는 데 성공했다. 헛개나무 열매도 많이 채취했다. 봉고차가 몇 번 왕복하는 동안 말로만 듣던 야생 헛개나무가 금주훈련원 창고에 가득 쌓였다.

커다란 가마솥에 헛개나무와 칡뿌리를 함께 넣고 오랜 시간 푹 곤 귀한 약물을 매일 아침 금주생들에게 마시게 했다. 한밤중의 무용담을 들으며 모두가 즐겁고 신나게들 마셨다. 아무쪼록 청정지역 괴산의 깊은 산중에서 자란 야생 헛개나무 물로 우리 금주생들의 간이 튼튼해지고 외롭고 지친 영혼이 정화되기를 바랄 뿐이다. 오늘도 헛개나무 물로 하루를 시작하는 금주생들을 바라보며 '헛개나무 할아버지'를 생각한다.

'헛개나무 할아버지, 죄송합니다. 저희들 술 끊고 열심히 살아가겠습니다.'

술 냄새도 역겹다

어느날 모친과 형님이 동생 김영환 씨를 금주훈련원으로 데리고 왔다. 그동안 수십 군데 병원을 다녀 봤지만 알코올 중독은 점점 더 심해져서 이곳이 마지막이라는 생각으로 데리고 왔다고 한다. 김영환 씨의 얼굴은 굉장히 날카로우면서도 오랜 음주로 지친 기색이 역력했다.

모친은 아들의 병을 고치기 위해 결혼도 일찍 시켰다. 하지만 결혼 후에도 술 문제는 더 악화되었고, 결국 아이를 둘 낳고 이혼하고 말았다. 굿도 수없이 하고 많은 애를 썼지만 소용이 없었다며 모친은 한숨을 쉬었다.

김영환 씨는 술만 마시면 폭력적으로 변하는 위험한 사람이었다. 청소년 축구대표를 했던 그는 이혼을 하고 새로운 가정을 갖게 되었는데, 부인은 매우 신앙심이 깊은 사람이었다. 어느 날 극동방송을 통해 금주훈련원을 알게 된 부인이 모친에게 그 이야기를 전했고, 이후 모친과 형이 간신히 그를 설득해서 데리고 온 것이다.

며칠이 지나도 김영환 씨의 얼굴에는 누군가에 대한 원망과 불쾌감, 금주훈련원을 못마땅하게 여기는 기색이 역력했다. 금주훈련원에서는 금주생들에게 하루 네 번씩 영성훈련을 시켰다. 많은 강사님들이 이 먼 괴산까지 금주생들을 위해 기꺼이 오셔서 수고해 주셨다. 특별히 통합 측 교단에서는 매주 부흥전도단 강사님들이 오셔서 귀한 말씀을 전해 주셨다.

어느 저녁시간에 금주생들은 '인생은 윷판과 같다.'는 제목의 설교를 듣고 있었다. '우리 인생이 언제, 어떻게 바뀔지 모른다. 윷이 나올지, 모가 나올지 모른다.'는 내용의 설교였다.

목사님의 설교를 들으며 무심코 주위를 둘러보는데, 진지한 얼굴로 설교를 듣는 김영환 씨의 얼굴이 눈에 들어왔다. 매 시간 짜증스러워하던 그 얼굴이 아니었다. 설교에 빠져든 초롱초롱한 눈빛이 이채로웠다. 그의 밝은 얼굴을 처음 본 나는 너무 놀라 자꾸 그를 돌아보았다. 강사님은 '하루에 감사를 100번 하면 기적이 일어나고, 새로운 인생길의 문이 열린다.'고 열심히 말씀을 증거하고 계셨다. 그 말을 가슴 깊이 받아들이는 듯 어느 순간 김영환 씨의 입술이 스르르 열리며 '감사합니다.' 하고 중얼거렸다.

김영환 씨의 변화는 눈부셨다. 어둡던 얼굴이 몰라지게 밝아지고, 입가에는 늘 미소가 떠돌았다. 그동안 김영환 씨는 자기가 세상에서 제일 불행한 사람인 줄 알았는데, 강사님이 '하루에 감사 100번 하면 새로운 인생길이 열린다.'고 하니 그 말씀대로 하루에 감사를 100번씩 해 보기로 했다는 것이다. 그렇게 감사를 하다 보니 정말로 모든 것이 감사하고, 자기가 그 누구보다 행복한 사람이라는 사실을 깨닫게 되었다고 한다. 전에는 모든 게 불평이요 불행이었는데, 이제는 모든 것이 감사요 행복이었다. 이것도 감사하고 저것도 감사하고 모든 것이 감사라는 것이다.

1개월의 훈련을 마치고 집으로 돌아간 김영환 씨의 변화된 모습은 주변의 많은 이들을 감동시켰다. 어머니, 아버지, 형님 모두 하나님 앞으로 나오는 역사가 일어났다. 무슨 일만 있으면 굿을 하던 어머니는 열심 교인이 되셨다. 늘 김영환 때문에 어두웠던 가족들에게 새로운 은혜의 바람이 불어오고 있었다.

그는 연예인들로 구성된 '해돋이' 연극단을 앞세워 어려운 지역과 교회를 다니면서 봉사를 하였고, 의료인들과 함께 가난한 나라에 의료선교를 다니기도 했으며, 알코올 중독자들을 집으로 모이게 해서 섬기는 일들을 활발히 펼쳤다. 병원에서는 문제의 환자요, 관리가 힘들어 온몸이 밧줄에 묶여 있던 사람이 새로운 인생으로 거듭난 것이다. 주님은 김영환 씨의 알코올 중독을 고쳐 주셨고, 새로운 인생으로 거듭나게 해 주셨다. 언젠가 그는 웃으며 이렇게 말했다.

"이젠 술 냄새도 역겨워요."

수많은 알코올 중독자들의 변화 과정은 결코 복잡하지 않다. 불과 몇 분 만에 놀라운 기적이 일어난다. 그 생생한 현장을 지켜볼 때마다 너무나 행복하고 자긍심과 보람을 갖게 된다. 지금 이 순간에도 하나님은 존재하고 계시다. 그분을 만나 새로운 인생을 사는 알코올 중독자들이 더욱 더 많아지기를 진심으로 기원한다.

주폭이 만난 하나님

괴산의 금주훈련원은 폐교된 초등학교를 괴산 교육청으로부터 임대하여 사용하게 된 곳이었다. 이십여 개의 교실을 금주생들의 숙소와 교육 공간으로 개조하여 운영하였는데, 민가와는 다소 떨어져 있는 조용하고 아늑한 곳이라 금주훈련원으로는 적당한 장소였다. 학교 앞에는 맑은 물이 흐르고, 옆으로는 과수원이 있어 시골 마을 특유의 정취를 느낄 수 있었다.

그간의 활동으로 많이 알려진 탓인지 전국에서 많은 금주생들이 찾아왔다. 나는 금주를 위하여 오겠다고 하는 사람은 차별 없이 모두 받아주었다. 그러다 보니 가끔은 다루기 힘든 알코올 중독자도 많았다. 그래도 시간이 지나면 모두 새로운 사람들로 변해 가는 것이 이 일을 하는 보람이었다.

어느 날 의정부에서 43세의 채문수라는 사람이 왔다. 첫 인상에서 풍기는 분위기가 누가 봐도 조폭이었다. 알고 보니 유명한 ○○파 출신이었다.

금주훈련원에서는 하루에 네 번의 예배와 교육, 운동으로 금주생들이 다른 생각을 할 시간적 여유가 없도록 프로그램을 운영하였다. 자유로우면서도 신앙훈련을 통한 변화가 가능한 것은 바로 그 때문이었다. 오산리 기도원에서 신앙을 통한 치유를 체험한 나는 '알코올 중독은 오직 하나님을 만나는 것 외에는 희망이 없다.'는 소신을 가지게 되었다. 그래서 금주훈련원의 주 강사진도 목사님들로 꾸렸다.

어느 날 저녁 예배 시간에 살펴보니 채문수 씨가 예배실 맨 앞자리에서 진지하게 예배를 드리고 있었다. 그 모습이 얼마나 보기가 좋았던지, 평소에 안수를 잘 안하던 나는 예배가 끝나자 나도 모르게 채문수 씨 머리에 손을 얹고 기도를 했다. 순간 전류에 감전된 듯 온 몸이 불덩어리가 되었다. 오산리 기도원에서 거지를 향하여 기도할 때의 그 뜨거움이었다. 나도 놀라고, 채문수씨도 무척 놀랐다.

그날 밤 너무 감격한 나머지 하나님께 감사 기도를 올렸다.

'하나님, 오늘도 또 한 영혼을 구원해 주시는군요. 감사합니다!'

그 후 채문수 씨는 매일 아침 일찍 일어나 머리를 단정하게 하고 양복과 넥타이를 매고 정성껏 예배를 드렸다. 그 모습이 얼마나 은혜스럽던지! 후에 나는 그를 신학교에 추천하여 보냈는데, 지금은 목사님이 되었다.

술꾼이 일꾼으로

어느 날 강릉에서 여전도사님이 도와달라고 하면서 한 사람을 데리고 왔다. 권달수 씨였다. 알코올 중독자인 그는 매우 폭력적인 사람으로 교도소와 정신병원을 수없이 다니던 사람이었다. 몸집이 큰데다가 힘도 대단했다. 문제를 일으킬 요소가 다분한 사람이라 나는 늘 그의 행동과 주변을 주의 깊게 살폈다.

권달수 씨는 무슨 말을 해도 반응이 별로 없었다. 무뚝뚝한 얼굴에는 어두움이 드리워져 있고, 야생마 같은 기질을 가지고 있었다. 운동을 몹시 좋아해서 공을 가지고 있는 시간이 많았지만, 주위 사람들과는 소통이 잘 안 됐다. 누구에게도 마음을 열지 않았고, 상대로 하여금 긴장을 풀 수 없게 만들었다.

몇 개월이 지나도 권달수 씨의 모습은 변함이 없었다. 사람을 봐도 인사할 줄을 모르고, 자기 멋 에 사는 것도 여전했다. 딱히 갈 곳도 없는 사람이라 금주훈련원에 붙어 있긴 했지만, 무슨 생각을 하는지 도무지 속을 알 수 없었다.

그런 그가 언제부터인가 서서히 바뀌기 시작했다. 그렇게 말이 없던 사람이 말을 하기 시작했다. 가면을 쓴 듯 무표정하던 사람이 표정이 생기기 시작했다. 밝은 얼굴로 주변 사람들과 대화를 나누고, 같이 운동을 하면서 웃기도 했다. 그렇게 인사성이 없던 사람이 정중하게 인사를 했다. 모두가 권달수 씨의 변화를 진심으로 기뻐하였다.

금주훈련원을 통해 변화된 금주생들 중에는 집으로 돌아가는 경우도 많았지만, 신학교를 보내는 경우도 있었다. 나는 권달수를 포함한 다섯 명의 훈련된 사람들을 신학교에 보냈다. 학교 측에는 이들의 특수성을 이야기하고 학생으로 받아 주도록 따로 부탁을 드렸다. 그리고 월세방을 얻어서 이들이 함께 생활하면서 공부할 수 있도록 지원하였다.

권달수 씨는 초등학교만 나온 사람이었다. 신학교는 고등학교를 나와야 들어갈 수 있으므로, 검정고시로 고등학교 과정을 밟기로 학교 측과 사전에 이야기가 된 상태였다. 중학교, 고등학교 공부를 시작하면서 신학교에 입학한 권달수 씨는 놀라운 속도로 성장을 거듭하였다.

험악하고 무뚝뚝하던 얼굴은 선한 미소를 띠게 되었고, 폭력적인 성정도 사라지고 섬김의 사람으로 환골탈태하였다. 학업 성적도 매우 우수하고 모범생으로 학교를 다니다가 4년 후 무사히 졸업하였다.

나는 약속을 지키는 사람을 존중한다. 그동안 내가 신학교에 보낸 많은 사람들이 신학교를 졸업하면 알코올 중독자들을 위하여 일하겠노라고 철석같이 약속을 했다. 하지만 대부분 약속을 지키지 못했다.

그러나 권달수 씨는 약속을 지키는 사람이었고, 자신이 한 말에 책임을 졌다. 신학교를 마친 권달수 씨는 지금은 남원에서 아늑한 산자락에 알코올 중독자 쉼터를 갖추고 열심히 사역을 하고 있다. 권달수는 노력하는 사람이요, 알코올 중독자를 사랑하는 사람이다. 앞으로 큰 희망이 보이는 술꾼이 일꾼 된 사람이다.

권달수 씨의 변화는 사람의 힘으로는 불가능한 변화였다. 교도소, 정신병원 전과자인 그가 이렇게 변할 줄을 그 누가 알았겠는가! 거지를 선교사로 만드신 분, 바로 그분이 권달수를 변화시켜 주신 것이다. 권달수를 변화시켜 준 그분은 찌그러진 인생을 반듯하게 펴 주시는 전문가이시다. 그분께 나가면 누구나 희망이 있다.

간경화 말기

어느 날, 상담실로 다급한 전화가 왔다. 동생 문제로 한번 상담하러 오겠다는 전화였다. 목소리가 얼마나 절박한지 나는 자세히 묻지도 않고 오시라고 말했다. 다음 날, 형이 금주훈련원을 찾아왔다. 35세인 동생은 지금 간경화로 죽음 직전에 있다고 했다. 며칠 전 병원에서 '가망이 없으니 마음의 준비를 하라.'는 의사의 말을 들었다는 것이다.

형은 자기 동생이 죽더라도 이곳에 와서 구원을 받고 죽었으면 좋겠다고 했다. 지금 동생의 상태를 묻자, 알코올 중독으로 간경화 말기이고 여러 가지 합병증으로 대소변을 못 가리는 상태라고 했다. 정말 난처한 일이었다.

"대소변을 못 가리면 곤란한데요. 진즉에 그 이야기를 하셨으면 이곳 괴산까지 안 와도 되는데, 나는 그렇게 심각한 줄 몰랐네요."

마음으론 미안했지만 안 되는 것은 안 되는 것이었다. 나는 덧붙여 말했다.

"금주훈련원은 술 문제로 오는 사람은 누구든지 받아주고 있습니다. 그러나 조건이 있는데, 어느 정도 자기 건강은 있어야 합니다. 대소변을 못 가린다면 이곳에서 감당할 수 없습니다."

그런데 형은 갈 생각도 안 하고 울먹이며 내게 매달렸다.

"제발 제 동생을 받아 주세요. 죽어도 절대 원망하지 않겠습니다. 여기서 하나님 만나고 가게 해 주세요. 이렇게 간청 드립니다!"

'어떻게 해야 하나…….'

정말 고민스럽기 짝이 없었다. 한참을 고심하던 나는 동생을 돌봐줄 봉사자를 찾아보기로 했다. 때마침 금주훈련원에는 대구에서 오신 봉사자가 한 분 있었다. 나는 그분께 사정을 설명하고 봉사를 해 주실 수 있는지를 여쭈었다. 다행히 그분은 선뜻 도와주겠다고 나섰다. 나는 형에게 '봉사자가 있으니 동생을 데리고 오라.'고 말했다.

다음 날, 형이 동생 정석이를 데리고 왔다. 보기에도 정말 딱한 모습이었다. 정석이는 온몸이 부어 걷지를 못했고, 눈동자에까지 황달이 온 상태였다. 내가 봐도 며칠을 넘기기 어려울 것 같았다. 이런 중환자가 금주훈련원에 왔으니 정석이에게서 한시도 눈을 뗄 수가 없었다. 매일 매일이 외줄을 타는 것 같은 긴장의 연속이었다. 아무리 형이 모든 걸 각오하고 동생을 맡겼다지만, '여기까지 와서 죽으면 어떻게 하나.' 하는 염려로 마음이 편치가 않았다. 그러다가 문득 이런 생각이 들었다.

'정석이가 죽을 곳이 없어서 하나님이 이곳에 보내셨을까. 아니야, 하나님은 정석이를 살리기 위해서 보내신 거야. 그래, 정석이는

살기 위해서 여기 온 것이다.'

그렇게 생각을 바꿨더니 그때부터 마음이 편해지기 시작했다. 나는 하루에도 몇 번씩 간절히 되뇌었다.

'나는 믿습니다. 나를 폐결핵과 알코올 중독에서 고쳐 주시고, 내 아내의 암덩어리를 쏟게 하신 그분을 나는 믿습니다. 인간의 생명을 주관하시는 전능자를 나는 믿습니다…….'

정석이가 금주훈련원에 온 지 3개월이 지났지만, 여전히 대소변을 가리지 못하는 상태였다. 게다가 정석이는 소화기관이 안 좋아서 하루에도 몇 번씩 설사를 했는데, 그때마다 기저귀를 갈아 줘야 했다. 사회적으로 가장 왕성하게 활동해야 할 30대 중반의 젊은 나이에 이런 일을 겪고 있다니, 보는 우리도 그렇지만 자기 스스로는 얼마나 괴로웠겠는가.

그런데 놀라운 일이 생기기 시작했다. 정석이가 있는 방은 2층의 '은혜방'인데, 그 방에 있는 모든 사람이 마치 자기 가족처럼 정석이를 간호하고 살뜰하게 돌봐 주기 시작했다. 사람들의 따뜻한 관심과 도움 속에 서서히 건강을 회복한 정석이는 대소변도 가리게 되었고, 예배실도 제 발로 갈 수 있게 되었다.

더욱 놀라운 것은 그 방에서 정석이를 도와주던 사람들에게 일어난 변화였다. 그 중의 두 사람은 후일 목사님이 되었고, 또 다른 사람은 직장인, 또 한 사람은 나와 함께 선교활동을 하면서 궂은일을 도맡아 하고 있다.

이제 정석이는 몸이 완전히 회복되어 나의 가장 든든한 동역자로 살아가고 있다. 섬김과 이웃 사랑이 거둔 열매를 보면서 다시 한 번 보람을 느끼는 순간이었다.

일곱명이 생활하던 '은혜방'에서 다섯명의 알코올 중독자들이 17년이 지난 지금에도 건강하고 보람된 인생들을 살아가고 있다.

한남대 총장님

금주훈련원에는 많은 분들이 견학을 오기도 하고 상담을 하러 오기도 한다. 어떻게 알코올 중독자들을 자유스럽게 개방으로 하는지 궁금한 모양이다. 어느 날 한남대학교 신윤표 총장님이 금주훈련원을 방문하셨다. 훈련원을 둘러보시던 총장님은 갑자기 내 손을 잡고 눈물을 흘리면서 '고맙다.'고 말씀하셨다.

"요즘 대학교에도 음주 문제가 아주 심각합니다. 보이지 않는 곳에서 이런 귀한 일을 하시니 정말로 고맙습니다."

분에 넘치는 칭찬을 들은 나는 몸 둘 바를 몰랐다.

"뭔가 작은 것이라도 도움을 드렸으면 좋겠는데 금주훈련원에 필요한 게 없습니까?"

나는 잠시 생각한 후 말했다.

"훈련생들에게 컴퓨터를 가르치고 싶은데 컴퓨터가 없습니다."

"오, 그래요? 마침 우리 학교에 쓸 만한 컴퓨터가 몇 대 있어요. 중고지만 사용하는 데 불편은 없을 겁니다."

총장님은 이후 중고 컴퓨터를 40대나 보내 주셔서 아주 유익하게 사용하였다.

한남대 신윤표 총장님은 술에 관한 한 전혀 타협이 안 되는 분이다. 한남대 신입생 환영회 날 학생들이 술판을 벌이자 총장님이 야구방망이로 술병을 깨버렸다는 전설적인 일화도 있다. 이후 한남대학교에서는 신입생 환영회에서 술 마시는 행사가 없어졌다고 한다.

술의 심각성을 너무도 잘 알고 계시는 신 총장님은 '우리 함께 금주운동을 하자.'며 한남대와 자매결연을 맺자고 제의하셨다. 그렇게 해서 2003년에 금주훈련원은 한남대학교와 자매결연을 맺게 되었다. 그 후 나는 한남대학교 전교생과 교수들을 대상으로 이틀

간에 걸친 예방 교육을 실시하기도 했다.

한국 사회의 음주문화는 매우 위험한 문화이다. 더욱이 대학의 음주문화는 이미 오래 전부터 심각성을 띠고 있었다. 선배가 후배에게 과할 정도로 술을 권하는 권주문화, 강제음주라는 고통스러운 전통으로 인해 사망 사건이 벌어지는 등 대학가의 음주문화가 커다란 사회적 문제로 비화되고 있다.

20대 알코올 중독자들이 갈수록 많아지고 있다. 치열한 경쟁을 뚫고 배움의 길에 들어선 대학생들이 술에 빠져 각종 문제를 일으키고, 한창 나이의 젊은이들이 알코올 중독이 되어 이 나라의 장래를 어둡게 만들고 있다.

알코올 중독은 사람에 따라서 다양한 차이가 있다. 어떤 사람은 오랜 시간을 걸치면서 알코올 중독으로 진행하는가 하면, 또 어떤 사람은 몇 번 마시고 중독이 되기도 한다. 어떤 경우든 알코올 중독은 인간이 살 수 없는 지경을 만든다. 술을 마시면 일시적으로는 기분이 좋을지 몰라도, 그것이 반복되면 불행과 죽음을 가져오는 무서운 병이 된다는 것을 잊지 말아야 한다.

사단장님

국회가 음주 문제와 고스톱 문제로 한창 시끄러울 때였다. 그 무렵, 나는 지금은 고인이 된 박세직 장로님과 가까이 지냈었다. 앞에서도 이야기했지만, 그분은 군 시절 나의 사단장이었다. 퇴역 후에는 서울시장도 지내셨고, 재향군인회 회장으로서 왕성한 활동을 하시면서 많은 사람들에게 신망이 두터운 분이셨다.

당시 나는 철원군 도창리에 있는 3사단 18연대 4대대 13중대에 근무하고 있었다. 어느 날 박세직 사단장은 지프를 타고 가다가 우연히 무거운 나뭇단을 머리에 이고 가는 할머니를 보게 되었다. 박 사단장님은 나뭇단을 지프 위에 싣고 할머니를 태워 집에까지 모셔다 드렸다.

그 인연으로 할머니와 가까워진 사단장님은 할머니를 양어머니로 삼고 바쁜 중에도 매주 꼭 한 번씩 들러 문안을 드리곤 하였다. 사단장님이 양어머니께 얼마나 극진하게 잘하는지 우리들한테까지 소문이 퍼졌다. 어느 날은 할머니 집에 우물을 파 드렸다더라 하는 소문이 돌았고, 또 어느 날은 용돈을 드렸다더라 하는 소문이 돌기도 했다.

철원은 3사단 지역으로 군 간부들이 영외 생활을 하다가 가끔 민간인들과 시비가 벌어질 때가 있었다. 박 사단장은 거의 예외 없이 지역 주민들의 편에서 시비를 해결하였다. 특히 술값 문제로 민원이 들어오면 박 사단장은 아예 간부들의 봉급에서 술값을 제하여 지역 주민들의 민원을 도와주었다.

그러다 보니 철원 주민들은 너나 할 것 없이 박세직 사단장을 존경하였고, 당시 민군 관계가 얼마나 좋았던지 모른다. 그뿐인가. 박세직 사단장은 군 사병들의 사기를 높이기 위해 문선대를 자주 불러 공연을 하고, 이등병을 꼭 안아 주면서 힘내라고 하던 정말 존경받던 지휘관이었다.

금주훈련원을 운영하던 어느 날, 우연한 자리에서 박세직 장로님을 잘 알고 계시다는 분을 만났다. 나는 반가운 마음에 박 장로님을 소개해 달라고 그분께 부탁드렸다. 아무리 존경하는 분이라 해도 군대에서 사병이 사단장을 만난다는 것은 '하늘의 별 따기'처럼 어려운 일이다. 그러나 이제는 둘 다 사회인이 되었으니, 기회가 주어진다면 한번쯤은 만나 뵙고 싶었다.

얼마 후, 어느 조찬 모임에서 박세직 장로님을 만나게 되었다. 나는 과거 장로님과의 인연을 털어놓고 지금 내가 하고 있는 일들을 말씀드렸다. 군 시절의 인연을 들은 박 장로님께서 얼마나 반가워하시든지! 그 후 박세직 장로님은 무슨 행사가 있으면 나를 항상 불러서 의논하곤 하였다. 괴산 금주훈련원에도 찾아오셔서 여러 모로 후원을 해 주시고 용기를 주셨다.

지금은 하늘나라에 계시지만 나는 박세직 장로님의 사랑을 참 많이 받은 사람 중에 하나이다. 내가 연세대학교 연합신학대학원을 다닐 때의 일이다. 체육대회가 있는 날인데, 박세직 장로님한테서 전화가 왔다. 용산 전쟁기념관에서 출판기념회를 하는데, 나보고 사회를 봐 달라는 것이다. 그때는 그저 겸손한 마음으로 사양을 했다.

나중에 박 장로님의 출판기념회에 참석한 나는 사회자로 나선 이필섭 전 합참의장님을 보고 놀란 가슴을 쓸어내렸다. 그분은 3개 국어로 박세직 장로님을 소개하는 것이었다. 나를 무척이나 믿어주셨던 박세직 장로님은 내가 무엇이든 잘하는 것으로 생각하신 것이다. 출판기념회가 진행되는 내내 나는 속으로 생각했다.

'그때 내가 덥석 사회를 보겠다고 했으면 어쩔 뻔했나. 큰일 날 뻔했구나…….'

2001년 9월 27일 밤, 박세직 장로님의 후원으로 국회 의원회관에서 알코올 중독자 후원회 행사를 한 적이 있었다. 부흥사 신현균 목사님의 설교와 가수 박재란, 탤런트 정영숙 등 많은 분들이 적극적으로 참여하여 후원회 행사를 도왔다. 박 장로님을 비롯한 많은 분들이 알코올 중독자들을 위해 힘을 모으고, 격려와 응원을 보내주신 덕택에 나는 또다시 큰 용기를 얻게 되었다.

지금도 박 장로님을 생각하면 눈시울이 뜨거워진다. 훌륭한 군인으로서 타의 모범이 되었고, 크리스천으로서도 자신의 것을 기꺼이 나눠 주신 그분은 빛과 소금의 역할을 하시는 데 일생을 쓰셨던 귀한 분이었다.

MBC 방송

조치원기독교연합회 강사로 연합집회를 마치고 훈련원으로 돌아오는 길이었다. 갑자기 사방에서 전화가 빗발치기 시작했다. 괴산 금주훈련원이 9시 뉴스에 나왔다는 것이다.

얼마 전 MBC 방송에서 금주훈련원을 찾아와 취재를 한 적이 있었다. 그때 기자가 묻는 내용이 하도 어처구니가 없어서 '당신들 마음대로 하라.'고 했는데, 그 장면이 여과 없이 그대로 뉴스에 나온 것이다.

그 당시는 정신적인 문제가 있는 사람들을 감금한 일부 정신시설의 문제가 사회적 공분을 일으킬 때였다. MBC에서는 제보자의 말을 믿고 금주훈련원이 일부 정신시설처럼 알코올 중독자들을 납치·감금한 것처럼 몰아갔다. 제보자는 다름아닌 금주훈련원 직원이었다. 나중에 알고 보니 그는 훈련원에 처음 온 날부터 이곳 상황을 파악하고 법적인 꼬투리를 만들고 있었다.

당시 훈련원은 직원이 필요하지 않았지만 자신도 과거 알코올 중독으로 고통을 받은적이 있는데 중독자들을 위하여 일할 수 있는 기회를 한번 달라고 사정을 해서 무리하면서 자리를 준 것이 화근이 되었다. 그는 훈련생들에게 접근하여 '이곳에 누가 보냈느냐' '올 때는 잡혀 왔냐'는 등 조사한 내용을 근거로 '몇 조 몇 항 위반' 하는 식으로 해석하여 금주훈련원을 인권유린하는 혐오시설로 방송국에 제보를 한 것이다. MBC 방송은 검증도 없이 훈련원을 방송에 내 보냈다.

알코올 중독자가 잡혀서 구급차에 이송되는 장면을 대역 배우를 통하여 보여 주었다. 금주훈련원에는 훈련생으로 위장하여 들어온 대역 배우가 카메라 앞에서 '사람살려달라'며 연기를 했다. 시청자들이 보면 분개할 수 밖에 없는 장면이다. 당시 조건부제도를 시행하면서 미인가 정신시설들을 압박하기 시작했다. 몇 군데 정신시설도 방송을 타게 되었는데 주로 많은 환자들이 수용되어 있는 정신시설들이 타깃이었다.

오랜 세월이 지났지만 아직도 내 마음에 큰 상처로 남아 있다. 나는 어려운 일이 생길 때마다 빨리 잊어버리려고 노력한다. 금주생들과의 생활은 늘 전쟁터와 같다. 평소에는 조용하던 사람들이 술을 마시면 짐승처럼 돌변하거나 별안간 '내 보따리 내놓으라'는 식으로 두 얼굴을 보이는 행태가 수 없이 일어난다. 그런 일 하나하나 다 기억에 남아 있다면 심신이 피폐해져서 어떻게 살겠는가. 그래서 웬만한 건 빨리 잊어버리려고 노력한다. 그러나 MBC 방송은 마음에서 지워지지 않고 있다. 나중에 MBC 방송이 반론보도를 해주었지만 섭섭함과 용기를 많이 잃어버렸다.

알코올 중독자들을 향한 뜨거운 마음도 예전 같지 않다. 방송이 나간후로 어려움이 닥쳐 지금은 파산자로 살아가고 있다. 나 한사람의 고통은 내가 감수한다 하더라도 그동안 나를 위해 용기를 주고 관심을 가져준 많은 사람들과 이곳에 환자를 보낸 가족들의 상처를 생각하면 마음이 무너져 내린다.

4장

음주예방과 대책

대물림 조심

'알코올 중독' 이란 주제를 가지고 발표회를 진행한 적이 있었다. 발표회를 끝마치고 임원들과 담소를 나눌 때였다. 갑자기, 휴대 전화가 울리기 시작했다. 전화를 받아 보니, 어떤 분이 나를 만나고 싶다고 했다. 이번 발표회에 참석했던 분이었다. 나의 발표를 듣고 너무 마음이 무거워 차마 집으로 발길을 돌리지 못했다고 했다.

잠시 후 나는 그분을 만났다. 그는 시도 쓰고 학교에서 강의를 하는 분이었는데, 술과 관련된 비극적인 가족사를 가지고 있었다. 그의 집안은 지금까지 4대가 모두 술로 망했다고 한다. 할아버지 대부터 술이 집안에서 떠난 적이 없었다. 심지어 할아버지는 집에 있던 맷돌을 잡히고 술을 마실 만큼 애주가였다. 결국, 할아버지는 술 때문에 죽음을 맞이했다.

알코올의 저주는 대를 이어 지속됐다. 아버지는 술로 인해 비명횡사하셨고, 큰형님도 음주로 인한 간경화로 돌아가셨으며, 둘째형님도 술을 마시고 건축 현장에서 일하다 추락 사고로 사망했다. 비극은 조카에게도 찾아왔다. 조카는 술에 취해 남부순환도로를 무단횡단하다 택시에 치이고 말았다. 수년간 식물인간으로 지내던 조카는 얼마 전 세상을 떠났다.

눈물을 글썽이며 고백하는 모습을 보니 나도 마음이 무거웠다. 누구보다 술의 피해를 많이 입은 분이었다. 그는 술에 넌더리가 나 집을 나온 뒤 교회에 다니게 되었다고 한다. 다행히, 지금까지 단 한 번도 술을 입에 댄 적이 없다고 했다. 이분은 내게 금주운동에 동참하겠노라고 약속까지 했다.

당시, 그는 몇 가지 이야기를 덧붙였다.

'삼천리 반도는 금수강산이 아니라 술 강산일 뿐이다. 한국인은 인간을 고통의 나락으로 몰아넣는 음주에 대해 자각해야 한다. 술의 위험성에 대해 무지한 사람들이 정말 많다.'

모두 고개를 끄떡이게 만드는 말들이었다.

부모가 술, 담배를 하지 않는 자녀는 대개 술, 담배를 배우지 않는다. 윗물이 맑아야 아랫물도 맑기 때문이다. 반대로, 부모가 알코올 중독자인 가정에서 성장한 아이는 후에 알코올 중독자가 될 확률이 매우 높다. 즉, 알코올 중독은 세대 간에 후천적으로 유전되는 질환이다. 집안에 알코올 중독자가 있는 사람이라면 아예 술을 입에 대지 말아야 한다.

조선 시대에, 한 선교사는 조선인들이 술 마시는 모습을 보고는 '조선 민족은 술로 망할 민족'이라고 했다. 다행히, 선교사의 예언은 빗나갔다. 대한민국은 하나님의 축복을 받아 일류 국가의 문턱에 진입했다. 또, 기독교도 놀라운 부흥을 이루어 내었다. 하지만 음주 문제만큼은 여전히 제자리에 머물러 있다. 조선 시대의 선교사가 이 시대를 본다면 도대체 어떤 평을 할지 궁금하다.

고문보다 무섭다

서울 송파에 사는 한 여성이 떨리는 목소리로 전화를 걸어 왔다. 이분은 알코올 중독자인 남동생을 인천의 한 알코올 병원에 입원시키려 했다. 하지만 병원에서는 동생이 문제 환자임을 알고 입원이 불가하다는 통보를 해 왔다.

두뇌가 비상한 동생은 병원을 모략, 비방하는 방법으로 며칠 만에 퇴원을 하곤 했다. 다른 환자들을 선동해 청와대 게시판에 항의

글을 올리거나, 인권위원회에 전화를 걸어 문제를 제기하는 식이었다. 동생의 이름은 이제 모든 알코올 병원의 블랙리스트에 올라 있었다. 인천의 병원에서도 동생이 문제의 환자인 것을 알고 다시 돌려보낼 수밖에 없었다. 이제 동생을 받아 주는 병원은 어디에도 없다고 한다.

여성의 가족은 이 일로 엄청난 스트레스를 받고 있었다. 특히 충격에 휩싸인 사람은 아버지였다. 자포자기한 아버지는 아내와 두 딸에게 '차라리 함께 죽자. 동반자살을 하자.'고 해서 어찌할 바를 모르다가 도움을 요청하게 된 거였다.

명문대를 나온 동생은 동네에서도 문제를 일으키고는 비상한 두뇌로 교묘하게 법망을 피하는 방식으로 가족과 이웃을 괴롭혔다. 견디다 못해 파출소에 신고를 한 적도 수 없이 많았다. 하지만 몇 시간도 되지 않아 동생은 다시 집으로 돌아왔다. 무엇보다 괴로운 건 이웃들에게 피해를 주는 일이었다. 병원도 수십 번이 넘게 보냈지만 매번 며칠 만에 돌아와 가족과 이웃들을 괴롭혔다. 이제는 동네 사람 보기 민망해서 또 이사라도 가야 할 지경이었다. 동생의 협박에서 벗어나려면 정말 아버지 말씀대로 동반자살을 해야 하는 건가 하는 생각이 든다고 떨리는 목소리로 말했다.

동생은 스스로를 파괴하고, 늙은 부모와 누나, 이웃 사람들을 괴롭히는 상습적이고 고질적인 사회적 위해범이다. 알코올 중독자 가족 중에는 고문보다 더한 고통을 참고 살아가는 사람들이 많다. 나는 고문 중에 가장 힘든 고문은 술 고문이라고 본다. 대개 고문은 육체에 가해지지만, 술 고문은 육체와 정신 모두를 짓밟기 때문이다.

더 무서운 것은 술 고문은 평생을 간다는 사실이다. 이는 가해자가 죽어야 끝이 나는 고문이다. 또한, 웬만해선 극복하기 힘든 심각한 후유증을 남긴다. 알코올 중독자의 가족들은 평생 상처를 안고 살아간다.

얼마전 인천에서 술만 마시면 어머니와 여동생을 폭행하는 아버지를 참다 못한 아들이 흉기로 아버지를 죽이고 아들은 18층 아파트에서 떨어져 숨졌다. 같은 날 용인에서는 술만 취하면 흉기를 들고 '가족 모두를 죽이겠다'며 난동을 부리던 아들(21세)이 술에 취해 잠든 사이 어머니가 아들의 양손과 발을 묶고 목을 졸라 죽였다.

얼마나 힘들었으면 아들이 아버지를 죽이고 어머니가 자기가 낳은 아들을 죽이겠는가. 너무 많은 사람들이 술 때문에 비극적인 인생을 살아가고 있다.

음주피해 가족들의 인권과 보호를 위한 정책이 시급히 수립되어야 한다. 가족들이 힘을 잃으면 가정은 무너질 수밖에 없다. 또한 사회가 어두울 수밖에 없다. 그 피해는 국민 모두와 연결되어 있다는 사실을 알아야 한다. 술로 불행을 만난 사람들의 안위를 진지하게 걱정하고 시급한 대책을 마련해야 한다.

숨겨진 중독자

어린 시절, 소풍을 가면 보물찾기 시간이 가장 기다려졌다. 이곳저곳에 미리 감춰 놓은 쪽지를 찾으면 학용품 같은 선물을 받을 수 있었다. 우리 사회에도 정체를 숨기고 있는 하나의 '쪽지'가 있다. 단, 이들은 '보물'이 아니라 알코올 중독자들이다. 보통, 알코올 중독자라고 하면 술을 먹고 쓰러져 자는 노숙자를 연상한다. 하지만 현실은 전혀 그렇지 않다. 그런 사람은 전체 알코올 중독자의 2%도 채 안 된다. 알코올 중독자들은 일상 곳곳에 숨겨져 있다.

얼마 전, 일이 있어 어느 전문가에게 서류 대행을 부탁한 적이 있었다. 먼저, 전화를 걸어 상담을 한 뒤 그의 방문 날짜 약속을 잡았다. 하지만 아무리 기다려도 오지를 않아서 전화를 했더니 대중교통을 이용하는 탓에 시간이 좀 걸린다고 했다. 기다리다 지친 나는 직접 나가서 그를 데리고 왔다.

나는 '이런 일을 하면서 왜 차가 없냐?'고 물었다. '운전을 하면 졸음이 와서 대중교통을 이용한다.'는 답변이 돌아왔다. 아무래도 음주운전으로 면허가 취소된 듯싶었다. 물론, '당신 혹시 알코올 중독자 아니냐?'고 물을 수는 없는 일이었다. 한참 동안 설명을 듣는 내내 영 마음이 개운치 않았다. 그러나 어쨌든, 나의 집무실까지 찾아온 사람이었다. 나는 잠시 고민하다 일을 맡기기로 하고 계약금을 지불했다.

이 사람과의 연락은 며칠 뒤에 끊겼다. 이틀 동안은 전화도 하고 자료도 보내 왔다. 아주 친절하고 전문가답게 확신도 주고 정상적으로 업무가 이루어지는 것 같았다. 하지만 나흘째부터는 연락 두절이었다. '아차, 속았구나.' 한번은, 혹시나 하는 마음에 전화를 건 적이 있었다. 그는 술에 만취해 있었다. 아마, 내가 누구인지도 모르고 전화를 받은 모양이었다. 당연히, 대화가 이어질 리가 없었다.

대부분의 알코올 중독자들은 전문성이 있고 자기 일에 성실한 사람들이다. 평상시엔 더 없이 좋고 능력 있는 사람들이 많다. 반면, 술을 마시면 전혀 다른 모습을 보인다. 우리 주변에는 술로 인해 지각, 결근을 밥 먹듯이 하는 사람들이 의외로 많다. 어떨 때는 아예 며칠간 잠수를 타기도 한다. 음주로 인한 말썽은 언젠가는 드러나게 되어 있다. 이를 알면서도, '저러다 좋아지겠지.' 하다간 나중에 크게 후회한다.

잘 아는 사이라 해도 음주 문제가 있는 사람에게는 중요한 일을 맡겨선 안 된다. 또한, 동업도 금물이다. 알코올을 제어할 수 없는 사람을 만나면 함께 망하고 불행질 수 있다. 만일, 사랑하는 사람이 후회를 반복하면서도 계속 술을 마신다면 헤어지는 게 방법이다. 술에 집착되어 있는 사람에게는 미래가 없다. 사람은 믿어야 하지만 술은 믿을 수가 없다.

도적같이 찾아온다

우리는 몸에 이상이 생기면 병원을 찾는다. 의사는 검진을 통해 병의 원인을 찾아낸다. 필요한 경우 수술을 하거나 처방전대로 약을 먹으면 건강은 회복된다. 반대로, 알코올 중독은 전혀 아픔을 느끼지 못하는 질환이다. 또, 검사를 한다고 해서 확인할 수 있는 병도 아니다. 알코올 중독은 좀처럼 바깥으로 드러나지 않는다.

알코올 중독은 술을 좋아하는 사람들에게 나타난다. 하지만 자신이 알코올 중독자가 될 거라고 생각하는 사람은 아무도 없다. 즉, 알코올 중독은 기만성 질병이다. 도적같이 모르게 진행한다. 그리고 서서히 모든 것을 망가뜨리고 도저히 손쓸 수 없을 때 드러난다. 음주자의 가족마저 전혀 눈치 채지 못한다.

지금도 누군가는 술 약속을 잡아 놓고 퇴근 시간을 기다릴지 모른다. 친구 혹은 연인과의 술자리를 기대하며 마음 설레 할 수도 있다. 반면, 음주자의 운명이 어디로 향하는지는 아무도 예측하지 못한다. 알코올은 잠깐 동안만 사람을 즐겁게 해 준다. 이 시간이 지나고 나면 오랜 시간 두통과 속 쓰림 같은 후유증에 시달린다. 술이 선물하는 짧은 쾌락은 곧 습관이 되고 남용이 되고 의존이 된다.

알코올은 우리 인생을 즐겁게 해 주지 않는다. 오히려, 우리의 삶을 고통과 절망의 나락으로 밀어 넣는다. 알코올은 그 안에 언제나 거짓과 이율배반을 숨긴다. 누군가는 비즈니스를 위해 때때로 술이 필요하다고 주장할 수 있다. 그러나 술에 기대지 않고 사업에 성공하는 사람들이 얼마나 많은가. 술을 이용하는 것은 바람직하지 않다.

부모들은 자녀에게 술을 가르칠 때 흔히 이런 말을 한다.

"술은 어른에게 배워야 한다."

당연하게 여겨지는 이 말에는 사실 어폐가 숨어 있다. 술 체질은 타고나기 때문이다. 술이 센 사람은 술을 마셔도 남에게 피해를 끼치지 않고 건강도 나빠지지 않는다. 반대로, 술이 약한 사람은 알코올로 인한 다양한 위험에 쉽게 노출된다. 하지만 자기 체질을 알고 마시는 주당은 좀처럼 없다. 음주는 도박과 비슷하다. 체질에 따라 운명이 좌우되기 때문이다.

조심 또 조심

우리는 가는 곳마다 술이 있고, 언제든지 마실 수 있는 환경 속에 살고 있다. 이는 한국인만의 독특한 음주 문화와 여러 모로 연결되어 있다. 남에게 술 권하는 일을 미덕으로 여기는 일도 이와 무관치 않을 듯싶다. 하지만 이는 자기 의사와 상관없이 술을 배우는 원인이 되기도 한다. 누군가가 권하는 술을 마시다가 어느덧 자기도 모르게 술꾼이 되는 것이다.

언젠가 종로에서 조찬 행사가 있었을 때의 일이다. 새벽 모임이기 때문에 나는 전날 미리 행사장으로 올라가 짐을 풀었다. 밤이 되자 조금은 무료하던 내게 갑자기 한 가지 생각이 떠올랐다. 요즘, 여성 알코올 중독 상담이 부쩍 늘어나고 있다.

나는 종로 일대의 술집과 식당 수십 곳을 둘러보았다. 여성들이 얼마나 술을 마시는가가 궁금했다. 놀랍게도, 남성보다 여성들이 훨씬 더 많았다. 다섯 명의 여성들이 술을 마시는 어떤 테이블 위에는 십여 병의 술병이 놓여 있기도 했다. 술을 마시는 여성이 많을수록 알코올 중독자도 늘어날 수밖엔 없다. 음주하는 여성이 많아진 것은 어쩌면 당연한 일이다. 여성의 사회 참여가 크게 늘고 남녀가 평등해진 세상이다. 자연스레 여성도 음주를 접할 기회가 많아질 수밖에 없다. 주류 회사 역시 이러한 분위기에 재빨리 편승했다. 소주 도수가 낮고 향미가 첨가된 술이 유행이다. 여성들의 취향을 고려한 주류가 제조되고 있는 것이다. 더욱이 적극적인 마케팅으로 여성들의 음주를 부추기고 있다는 사실이다.

문제는 여성의 몸이 남성보다 술에 취약하단 점이다. 여성은 체력도 약하고 탈수 효소가 적어 알코올 분해 능력이 떨어진다. 또, 여성은 체지방의 비율이 높고 수분량이 적다. 알코올이 지방에 스며들므로 해독에 더 많은 시간이 걸릴 수밖엔 없다. 여성이 음주 질환이나 알코올 중독에 걸릴 확률이 남성의 두 배나 되는 이유이다. 여성의 알코올 중독은 우리 사회의 문제이다. 현실을 방치한다면 얼마 안 가 심각한 상황을 맞이할지도 모른다.

우리나라의 권주 문화는 위험한 문화이다. 이는 타인의 생명을 빼앗고 알코올 중독자를 만들고 가족과 이웃을 불행하게 만들고 있다. 권주 문화는 하루 빨리 근절되어야 한다. 여성은 남성이 권하는 술을 경계해야 한다. 남성들은 자신의 욕구를 채우기 위해 술을 악용하기도 한다. 술은 거짓되고 음행을 부추긴다.

요즘은, 남녀가 '술 한 잔 할까요?' 하면 일사천리인 시대이다. 술로 인해 인륜과 도덕이 무너지고 있다. 가장 조심해야 할 사람은 교묘하게 술 권하는 사람들이다. 이들은 대개 음흉한 생각을 감추고 있는 사람들이다. 또, 취중에 진심을 말하는 사람들도 조심해야 한다. 마음속의 생각이 뇌에서 걸러지지 않는 뇌에 문제가 있는 사람들이다. 취중에 한 말은 진실이 없다는 것을 알아야 한다.

술은 개인뿐이 아닌 가족들에게 힘을 잃게 하고, 이웃에게 피해를 주고, 국가에까지 영향을 미친다. 술은 인간을 불행하게 만드는 무섭고 흉측한 무기와 같다. 예방을 원한다면 조심하고, 조심하고, 또 조심하는 길밖에 없다.

금주 십계명

1. 한잔을 조심하라 한 잔에 무너진다.
2. 불면을 이겨라 넘어야 할 산이다.
3. 겸손하라 이유가 없다 모든게 내 탓이다.
4. 변화를 두려워 말라 금주는 행복의 시작이다.
5. 술친구를 조심하라 위험한 장애물이다.
6. 외로움을 피하라 취미생활로 이겨내라.
7. 금주를 선포하라 내 입의 말대로 된다.
8. 술자리를 조심하라 불이익이 생겨도 담대하라.
9. 포기하지 말라 칠전팔기의 정신으로 도전하라.
10. 선을 베풀어라 적을 만들지 말고 섬겨라

강력한 음주 규제 대책

한국 사회는 술을 마시는 사람들의 자유를 보장하고 있고 술을 마시지 않는 사람들의 안전은 외면하고 있다. 비음주자는 음주자 때문에 피해를 당하고 있다. 선진국들은 비음주자의 권리와 자유를 보장하기 위하여 알코올 통제 정책을 수립하고 있다. 비음주자의 자유를 지키기 위해 음주자의 자유를 구속하는 법이다. 복지국가일수록 더욱 강력하다. 음주 규제 정책을 하는 이유는 음주는 타인의 자유를 구속하기 때문이다.

국가 행복도가 높은 나라들의 음주 정책은 술에 대한 규제가 엄격하다. 핀란드는 오후 9시 이후에는 술을 살 수 없다. 미국, 캐나다, 노르웨이 등은 주류판매 면허세를 시행해 한정된 장소와 시간에만 주류를 판매한다. 길거리나 공원 등 공공장소에서 술을 마시면 곧바로 현행범으로 체포된다.

음주정책 지표가 가장 높은 노르웨이는 법으로 일요일과 휴일에는 전국의 상점에서 모든 주류의 판매가 금지된다. 매주 일요일과 모든 휴일 전날에는 오후 3시까지만 판매가 허용된다. 이러한 음주정책을 강력하게 하는 이유는 국민의 안전과 건강을 위해서이다.

우리나라의 음주 정책은 경제협력개발기구 회원국 가운데 최저 수준이다. 한국사회는 24시간 술을 자유롭게 마실 수 있다. 한 해 소비한 소주만 33억병, 맥주, 양주, 막걸리, 전통주 등 세계적으로 술 소비가 많은 나라이다. 그로 인해 발생되는 경제적 손실, 노동력 상실, 공권력 손실, 장애 발생, 피해보상, 의료비 등 음주피해는 천문학적이며 국가의 질서가 파괴되고 국민의 삶이 위협받고 있다.

음주범죄는 흉악해지고 있다. 살인, 강도, 강간, 방화, 묻지마 등 강력 범죄 대부분 술이 원인이다. 지구대, 경찰서, 119구급대에 주취자들의 갑작스런 폭력과 기물파괴, 욕설과 난동으로 공무집행을 마비시키고 있다. 그러나 우리사회는 술에 대하여 지나칠정도로 관대하다.

더욱이 국민의 안전과 건강을 책임지고 있는 공직사회의 음주는 심각하다. 공직자 중에는 알코올 중독자가 상당히 많다. 술을 마시면 반복적으로 정상적인 출근이 어렵고 결근을 하는 사람들은 알코올 중독이다. 근무시간에도 술을 마시고, 음주운전을 하고, 술자리에서 술을 빨리 마시고, 안주를 잘 못 먹고, 취하도록 마시고, 약속을 못 지키고, 혼술, 해장술, 낮술 가리지 않고 마시는 사람들도 알코올 중독이다.

알코올 중독은 음주 조절기능의 상실이다. 술의 양이나 술을 마시는 시간을 조절하기가 어렵다. 술에 취하면 공격적이고 분노조절장애가 생기고, 신체적, 심리적으로 문제가 생기고 악화되는 것을 알면서도 술을 끊지 못하는 상태이다.

대부분 알코올 중독이 되어도 자신의 음주가 잘못된 것을 인지하지 못한다. 술을 마시고 폭력적인 행동을 하고도 다음날 아무렇지도 않은 듯 행동을 한다. 그러나 마실수록 나빠지기 때문에 뜻 밖에 사고를 내거나 실수를 하는 횟수가 잦아지고 거짓말이 늘어나고 모든 것을 합리화하게 된다. 공직자들의 음주는 매우 중요하다. 공직사회가 건강하지 못하면 그 피해는 국민에게로 돌아온다.

공직사회는 자체적으로 알코올 중독 자가진단을 실시하여 음주문제가 있는 공직자는 그 자리에서 내려오게 해야 한다. 그대로 방관하면 언제 문제를 일으킬지 아무도 모른다.

우리나라는 심각한 음주후진국이다. 우리나라의 금연 정책은 정부가 앞장서서 성공적으로 잘 하고 있다. 그러나 음주 정책은 접근도 하지 않고 있다. 한국건강증진개발원의 조직을 보면 국민금연지원센터가 있고 금연기획팀, 금연사업팀, 지역금연팀, 금연홍보팀이 운영되고 금연사업을 전담하고 있다.

그러나 술의 경우 건강증진사업실 내의 건강안전팀에서 운영을 하지만 금연 사업에 비하면 이해하기가 어렵다. 2019년 금연사업 예산은 1,388억원을 편성했다. 그러나 음주예방관리 사업예산은 13억원에 불과하다. 우리나라는 술로 깊이 병들어 가고 있다. 말기 알코올 중독자는 때려도 통증을 느끼지 못한다. 한국사회는 말기상태처럼 통증을 느끼지 못하고 있다.

술과 담배의 피해 차이는 이루 말할 수 없다. 금연 정책을 활발하게 하는 이유는 흡연은 폐암으로 사망을 부른다는 것이다. 그러나 담배는 자신만을 망가뜨린다. 물론 간접흡연으로 남에게 피해를 주지만 직접적인 피해는 술하고는 비교할 수 없다. 담배를 피우고 남에게 폭력을 휘두르거나, 살인을 하거나, 기물을 부수거나, 길거리에 쓰러져 있는 사람을 본 기억이 없다. 흡연 때문에 교통사고를 일으키고, 담배에 취해 범죄행위를 하고, 흡연 때문에 가정이 파괴되었다는 이야기 역시 들어본 기억이 없다. 즉 담배는 신경계에 미치는 영향이 거의 없다. 그러나 술은 신경계에 나쁜 영향을 끼쳐 폭력, 살인, 분노, 주사 등 남에게 직접적인 피해를 준다.

적당한 음주는 삶에 활력을 준다. 그러나 과도한 음주는 인간관계를 파괴하고 질병을 일으킨다. 알코올 중독은 죽음을 부르는 병이다. 대부분 심장마비 사망이 많고 30,40대 조기사망이 빈번하다. 그동안 음주 사망자 통계를 낸다면 국민 모두가 놀랄 것이다. 너무 많은 사람들이 술로 죽어가고 있다.

선거철이 되면 국민들은 한동안 행복에 젖는다. 복지나 교육, 주거문제와 같은 애로사항을 해결해 주겠다는 정치인들의 달콤한 약속 때문이다. 물론, 잘 실천되는 공약도 있지만 그렇지 못한 공약도 많이 있다. 귀가 따갑도록 듣던 '국민행복'에 관심을 갖는 정치인은 과연 얼마나 될까?

모두 국민의 행복과 안전을 책임지겠다고 목소리를 높이고 있다. 그러나 국민의 안전과 건강에 가장 해롭고 치명적인 술에 대하여는 침묵하고 있다. 우리나라의 정치, 경제, 사회, 문화 교육 등 모든 분야가 안전과 질서를 유지하려면 강력한 음주 통제가 이루어져야 한다. 그렇지 않으면 밑빠진 독에 물붓기이다.

우리나라는 술의 위험성과 부작용에 대하여 경고도 없고 사용설명서도 없다. 술을 마시고 사고를 치던지, 중독자가 되던지, 가정이 파괴되던지 술에 대한 자랑뿐이다. 음주 규제는 갈수록 완화되고 있다. 우리나라는 알코올 중독자와 가족을 포함하여 약 1천만명 정도가 불행하고 고통스러운 삶을 살아가고 있다. 국가는 술로부터 국민을 지켜 주어야 한다.

술의 위험성에 대한 대국민 홍보가 시급하다. 밤 12시 부터 주류 판매를 금지해야 한다. 주류의 모든 광고를 금지하고, 술병에는 경고 문구와 담배 이상으로 음주 혐오 이미지를 부착해야 한다. 청소년 음주는 철저히 단속하고 학교는 음주예방교육을 의무화 하여야 한다. 음주운전은 적발즉시 면허 영구 취소를 하고 살인행위에 해당하는 엄격한 법을 적용해야 한다. 음주운전은 거의가 알코올 중독이기 때문에 기회를 주어도 다시 재발하여 음주운전을 하게 된다.

음주폭력과 공권력에 대항하는 주취 폭력자는 즉시 격리하여 2차 피해를 막아야 한다. 공공장소에서는 음주와 주류 판매를 금지하고, 강제로 술을 권하는 사람들은 처벌을 받도록 해야 한다. 술 권하는 사람들과 술 잘마시는 사람들이 부끄러워지는 사회가 될 때 우리나라는 희망이 있다. 술에 대하여 경각심을 갖고 국민 모두가 노력하여 다음 세대들이 안전하게 살아갈 수 있도록 '건강한 사회' '행복한 대한민국'을 물려 주어야 할 것이다.

알코올 중독 치료 대책

알코올 중독 치료에 관한 국가·사회 시스템은 수십 년 전과 달라진 게 없다. 알코올 중독은 아직도 사회에서 격리시켜야 할 존재로 인식되고 있다. 이들은 정신병원에 격리된 채 치료를 받게 된다. 이곳에서 알코올 환자는 조현병 환자와 함께 공존한다. 또한, 정신병원에서 치료받는다고 알코올 중독이 완치되는 것은 아니다. 잠시 안정이 될 수는 있어도, 술에 대한 욕구 자체는 곧 되살아난다. 환자들은 대부분 퇴원하자마자 재발한다.

알코올 병원의 프로그램도 자율적이다. 낮잠을 자거나 TV를 보거나 바둑 장기를 두거나 간섭하지 않는다. 포커와 화투를 하면서 시간을 보내는 환자들도 있다. 병원도 치료가 어렵기 때문에 특별한 방법을 내놓지 못하고 있다. 환자들은 대부분 좁은 병실에서 모든 것을 해결하고 있다. 운동시설이나 문화공간을 갖춘 곳은 보기 어렵다.

조현병 환자들의 묻지마 살인과 폭력이 빈번하게 일어나고 있다. 정신건강복지법 시행 이후 정신병원에서 장기적으로 입원해 있던 조현병 환자와 알코올 환자들이 사회로 나오면서 사고가 자주 일어나고 있다.

정신건강복지법은 환자와 가족들을 더 힘들게 하고 있다. 환자의 입원 과정, 입원기간, 보호의무자 등은 이해하기 어렵다. 첫째, 정신병원에 환자를 입원시키려면 환자의 동의를 요구하고 있다. 둘째, 입원기간은 3개월로 제한하고 있다. 셋째, 보호의무자는 환자와 거주지가 같은 직계 가족이어야 한다.

그러나 환자들은 병으로 인식을 잘 못하고 치료를 거부하기 때문에 환자에게 동의를 받는 것은 상당히 어렵다. 환자의 입원 기간도 상태에 따라서 다르지만 대부분 만성화된 환자들이어서 장기적인 치료 계획이 필요하다. 또한 보호의무자 직계가족들은 환자를 떠났거나 지쳐있거나 포기한 가족들이 많다. 직계가족이 아니어도 형제 친척이나 환자를 책임질 수 있는 사람이면 보호의무자 자격을 주어야 한다고 본다.

진주 아파트 방화 살인사건은 직계가족(부모, 자식)이나 배우자가 없어서 입원이 불가능했다. 사건이 터지기 전 환자의 형은 병원과 관계부처의 도움을 요청했다. 그러나 거절을 당했다. 7번이나 경찰에 신고를 했어도 조치가 안되었다. 68회에 걸쳐 정신과 진료를 받았던 환자의 상태가 위급하여 입원을 시키려고 했지만 모두 외면한 것이다. 이 사고로 5명이 사망하고 15명이 다친 큰 사건이다. 지금의 의료법은 이와 같은 사고가 날 위험성이 많다.

정신건강복지법 시행 이후 정신병원 입원환자 비율이 대폭 줄고 입원환자 수도 감소했다고 좋아할 일이 아니다. 감소한 만큼 환자와 가족들은 힘든 삶을 살아가고 있다. 입원 조건을 갖추기가 어렵기 때문에 입원시킬 엄두를 못내고 있을 뿐이다. 장기적인 음주로 방치되어 있는 환자들이나, 금단 발작을 일으키는 환자들이나, 난동을 부리는 환자들은 비자발적인 신속한 입원이 이루어져야 한다. 환자들의 자의입원을 기대하는 것은 환자들을 더 죽음으로 내몰게 되는 것이고 가정들을 무너지게 하는 것이다. 이들에게 진정한 인권은 환자들의 치료 환경과 환자 가족들의 보호이다.

우리나라의 알코올 치료 환경은 개선되어야 한다. 폐쇄 격리, 좁은 병실, 혼합 수용은 환자와 가족들에게 부작용이 많다. 정신병원에 대한 혐오감이 없도록 쾌적하고 넓은 병동 운영과 문화공간을 제공하여 환자들이 답답하지 않아야 한다. 조현병 환자와 알코올 환자는 구분 하여야 한다. 혼합 수용은 문제가 많다. 프로그램도 환자들이 의무적으로 참여하여 병을 인식하고 치료의 중요성을 깨달을 수 있도록 해야 한다. 일상생활이 어렵고 가족들의 보호가 힘든 만성화된 환자들은 재발방지를 위하여 지속적인 관리가 필요하다.

필자는 금주훈련원을 운영해본 경험을 가지고 있다. 격리를 하지 않고도 자유스러운 환경에서 교육과 관리가 가능했다. 신앙교육을 중심으로 훈련한 결과 20년이 지난 지금에도 많은 알코올 중독 환자들이 건강한 삶을 살아가고 있다. 환자들에게 종교적 치유 프로그램을 적용하는 것도 방법이다. 또한 운영이 중단된 연수원, 폐교, 종교시설 등을 치료센터 및 재활시설로 활용하는 것도 환자들에게 많은 도움이 될 수 있다.

알코올 환자들은 술을 안마시면 노동력이 있어서 취향의 맞는 일자리를 제공해주면 얼마든지 가능하다. 이들에게는 전문인력이 그렇게 필요하지 않다. 술을 안마시면 정상적인 생활이 가능하기 때문이다. 환자들은 신분이나 교육정도, 직업도 다양하다. 서로 의지하고 서로 도우면서 살아갈 수 있는 많은 장점들을 가지고 있다.

자유로운 환경에서 영구적으로 거주할 수 있는 '금주마을 정착촌'이 하나의 대안이 될 수 있다. 노동력을 활용하여 보람을 느끼고 경제적인 고민을 해결할 수 있다. 직업재활로 술의 집착을 떨쳐내고 재발을 방지할 수 있다.

알코올 중독 치료와 재발방지는 국가가 시급히 해야 할 중요한 과제라고 본다. 알코올 중독 재발방지는 국가의 안전과 질서와도 연관되어 있다. '금주마을 정착촌'은 만성화된 알코올 환자들의 안식처가 될 수 있다. 만성화된 환자들을 몇 개월 또는 몇 년을 치료한다고 해결될 일이 아니다. 지속적인 재발방지와 관리가 필요하다. 국가는 술로 모든 것을 잃어버린 사람들에게 복지혜택을 주어야 한다.

고령화 시대가 되면서 노인 알코올 중독은 갈수록 늘어나고 있다. 그러나 마땅히 보낼곳이 없다. 더 심각한 것은 여성 알코올 중독의 폭발적 증가이다. 그러나 여성들도 전문적으로 치료할 수 있는 곳이 없다. 여성들은 범죄에 이용되기도 하고 대부분 숨기고 있거나 방치되어 있다. 환자와 가족들이 겪는 고통은 이루 말할 수 없다. 선진국 주류회사들은 이윤을 사회에 환원함으로써 알코올 중독 치료와 재활을 돕는데 쓰고 있다. 우리나라의 주류회사들도 관심을 가져 주어야 할 것이다.

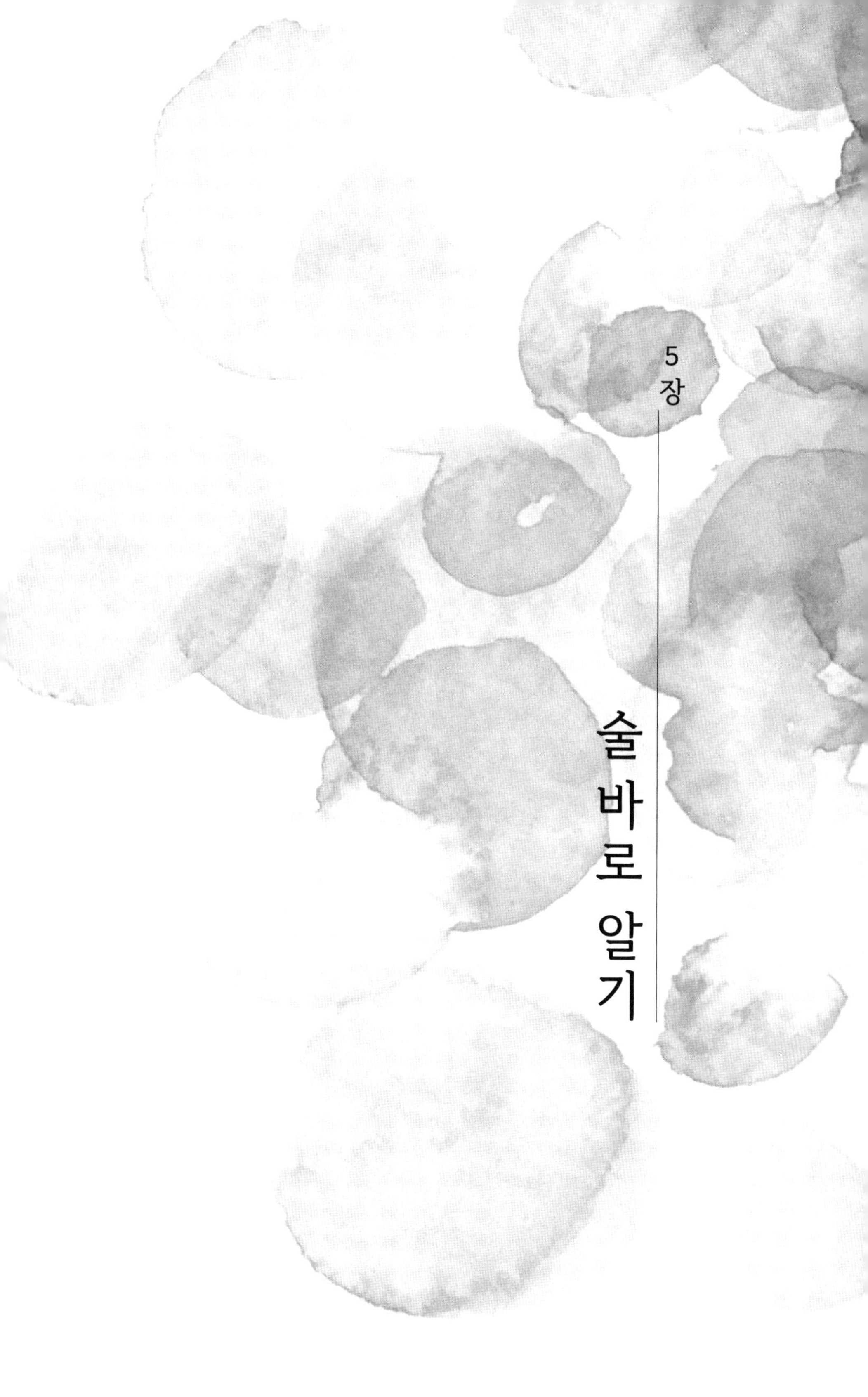

5장

술 바로 알기

자신의 적정 주량이란?

음주 초년생이 모인 자리라면 의례 주량 자랑이 마치 무용담처럼 따르는 것을 경험했을 것이다. 어떤 이는 지고 가지는 못해도 마시고는 간다고 자신의 주량을 과시한다. 보통 소주 2-3병은 기본이고 9병 10병을 마셨다고 자랑한다. 그리고 취해 저지른 실수담이 영웅담처럼 뒤따른다.

대량음주는 남성다움의 상징처럼 받아들여지고, 취해서 저지르는 실수는 관대한 잘못된 음주 문화 때문에 일어나는 현상이다. 소주 3병을 마시고 구토했다면 이것이 자신의 주량일까? 소주 5병을 마시고 취해 파출소를 부셨다면 이것이 자신의 주량일까? 3차까지 마시고 친구와 헤어져 그만 길거리에서 정신을 잃고 쓰러져 자다가 아리랑치기를 당했다면 이것이 자신의 주량일까?

보통 술꾼들은 마신 후의 일은 전혀 고려하지 않고 마실 수 있는 한계까지 마신 것을 자신의 주량으로 잘못 알고 있다. 위에 든 예는 자신의 적정 주량이 아니다. 자신의 적정 주량이란 마신 다음의 일이 반드시 고려되어야 하며 자신의 간 기능이 고려되어야 한다. 술에 강한 사람은 주량이 크고, 약한 사람은 주량이 작다라고 말한다. 주량이 큰 사람은 많은 술을 마셔도 아무렇지도 않으나 주량이 작은 사람은 소량의 술에 취하여 토하거나 정신을 잃어 더 마시고 싶어도 마실 수 없게 된다.

또 어떤 사람은 술을 마시고도 다음날 아침이면 완전히 깨어나 언제 술을 마셨느냐는 듯 멀쩡하나 어떤 사람은 소량의 술도 감당하지 못하고 다음날 아침이면 술국을 끓여라 약을 사와라 한바탕 소동을 일으키고 며칠은 술 근처에도 가기 싫어한다. 이는 이미 알코올 분해대사에서 보았듯 간 기능의 차이 때문이다.

그렇다면 자신의 적정 주량은 어떻게 알 수 있을까?

그것은 마신 다음날의 숙취 상태를 점검해 보면 알 수 있다. 우리는 술을 마신 다음날 아침 잠자리에서 일어나 술이 완전히 깬것으로 잘못 알고 있다. 숙취란 어휘의 그대로 잘숙, 취할 취, 즉 술이 아직 깨지 않고 잠자고 있는 것이다. 다시 말해 지난 밤 술이 체내에서 아직 분해 대사되지 않고 남아 있는 것을 의미한다.

알코올이 완전 분해 대사되지 않고 아직 그 과정에 있기 때문에 알코올 처리 중에 생기는 아세트알데히드와 같은 물질이 아직 몸에 남아 있어 두통, 헛구역질, 탈수로 인한 조갈 등의 현상이 나타난다. 이제 이런 사실을 종합해 보면 적정 주량을 알 수 있을 것이다.

자신의 적정 주량이란?

술을 마신 다음 날 아침 깨어났을 때 숙취의 고통이 전혀 없는 상태까지만 마신 술의 양, 즉 자신의 간장이 마시고 잠자는 동안 분해대사 할 수 있는 양만큼 마시는 것이 자신의 주량이 되는 것이다. 이를 초과해 숙취의 고통이 온다면 자신의 주량을 초과한 과음이 되는 것이다.

술도 음식이고 약인가?

술도 음식인데 하는 소리를 많이 들었을 것이다. 또 잘만 마시면 백약의 장이라고 한다. 그러나 알코올은 식품이나 약물로 보기에 어렵다. 농사일을 할 때 아침과 점심 사이에 소위 새참으로 막걸리를 마신다. 출출하던 차에 막걸리 한 사발을 마시면 허기도 가시고 새 힘이 솟아 일에 능률이 오른다. 이것을 보고 술 힘에 일을 한다고 한다.

왜 이런 현상이 발생할까?

알코올에는 높은 칼로리가 있다. 그러나 이 칼로리는 영양분이 전혀 없는 공 칼로리이기 때문에 체내에서 연소하여 에너지만 낸다. 알코올이 연소하는데 필요한 무기질, 비타민이 알코올 연소시 다 소모되기 때문이다. 이와 같이 알코올은 많은 에너지는 갖고 있으나 보조 영양소가 결핍되어 있다. 술에도 영양가가 있다는 것은 잘못된 말이다.

다음은 백약의 장이라는 약물 문제다. 대체로 약에는 정해진 용량이 있다. 의약 분업도 약품의 오남용을 방지하자는 데 목적이 있다. 약은 일정량으로 인간의 육체에 일정한 효과를 나타낸다. 그 효과로 건강을 지키고 병들었던 몸이 건강한 상태로 회복된다. 수면제의 경우와 같이 과다복용으로 건강은 물론 생명까지 위협을 받는다면 그 약은 독이 된다. 술이 바로 그런 존재다.

알코올이 신체에 미치는 여러 가지 약리학적 효과 중에 가장 현저한 효과를 나타내는 장기가 뇌신경계라는 사실로 미루어 보아 약물 중에 마약과 유사하다. 그리하여 중독으로 이어진다. 알코올은 근본적인 작용은 마취제와 비슷하다. 소량을 마실 때에는 뇌의 억제성신경세포에 작용하여 억제되었던 사고나 행동이 풀리는 것으로 보아 각성제라고도 하나 전문 의학자들은 오히려 뇌를 잠들게 한다고 주장한다.

문제는 다량의 술이 억제성신경세포뿐만 아니라 자극성 신경세포까지 마취시키는데 있다. 옛날 서부개척시대에 몸에 박힌 총알을 빼기 위해 사용한 마취제가 독한 술이라는 것은 널리 알려진 사실이다. 뇌가 오장 등 다른 장기와 다른 점은 밖에서 들어온 신호를 받아들이는 한편, 특정 장소에 신호를 신속 정확하게 보내는 세포가 서로 연결되어 존재하고 있다는 점이다.

알코올의 마취제로서의 기능은 비선택적 억제제라는데 있다. 치과 병원에서 발치를 위해 잇몸만 마취가 가능하듯 의학용 마취제는 특정 부위만 마취가 가능하나 알코올은 특정 부위를 마취시킬 수 없고 어떤 한 부분의 마취를 위해서도 몸 전체가 마취되어야 통증을 느끼지 못한다.

발치를 위해 마취를 시킨다면 의식 불명이 될 때까지 술을 마셔야 하는데 그 과정에서 먼저 인간의 고등 기능을 담당하는 대뇌의 신피질이 마취되고 다음으로 본능, 욕망과 간계가 있는 대뇌의 낡은 면연피질이 마비되며 운동 기능을 담당하는 소뇌까지 마비되어 바늘로 찔러도 통증을 느끼지 못하는 감각 마비 상태가 된다. 더 많은 양의 술을 마시게 되면 연수까지 마비되어 사망에 이른다.

주량이 느는 것은 위험 신호

월남전에 파병되었던 당시의 이야기, 의료 혜택을 받지 못한 농촌 주민들은 아스피린 한 알, 페니실린 주사 한방이면 거의 모든 병을 고칠 수 있었다. 몸이 약을 거의 받아보지 않아 그만큼 약효가 좋았다. 그러나 이런 몸도 약에 익숙해지다 보면 항생제의 경우 어느새 50단위에서 100단위 1천 단위, 1만 단위, 10만 단위로 점점 높아진다.

지금은 어떤 항생제에도 끄떡 않는 슈퍼 박테리아까지 출현했다지 않는가? 세균에 내성이 생긴 것이다. 술의 경우도 동일하다. 마시면 술이 늘고, 술이 세졌다고 한다. 밀밭 두렁에만 가도 취하는 사람을 제외하고(이런 사람은 간에 알코올 분해 효소인 알코올 탈수소효소나 아세트알데히드 탈수소효소가 아예 없는 경우이고) 정상적인 사람들은 마시면 마실수록 내성이 증진된다.

대표적인 예가 있다. 교육자 집안에서 태어난 그는 천생 골샌님이었다. 술과 담배는 옆에도 가지 못하고 성격도 내성적이다 못해 마치 여성 같았다. 보다 못한 부친은 남자를 만들겠다고 대학을 졸업하자마자 해병대에 자원 입대시켰다. 거친 남자들만의 세계, 그것도 악명높은 해병대에서 비록 장교로 입대했으나 술과 담배를 못하는 그는 치욕과 수모의 나날이었다.

그러던 어느날 마시지 못하는 술로 인하여 크게 모욕을 당한 그는 이를 악물고 술을 배웠다. 그러자 거짓말처럼 술이 세어지는 것이 아닌가. 모욕을 준 동료장교와 술 시합을 벌인 끝에 소주 7병을 마시고 케이오승으로 멋지게 설욕한 일화는 전설로 남아있다고 한다. 한번의 폭주나 지나친 장기간의 음주는 간의 여러 가지 효소들의 유도작용을 일으켜 마이크로좀에서 나오는 효소의 증가를 가져온다.

효소의 증가는 간장의 대사 능력을 따라서 증가시켜 더욱 왕성한 해독작용을 하게 하기 때문에 많은 양의 술에도 익숙해지는 현상이 일어난다. 다시 말해 간에 알코올 분해에 숙달된 조교가 된 것이다. 이와 같은 현상을 의사들은 알코올에 대한 내성을 얻었다고 말하며, 이 내성은 점점 증진한다. 내성이 증진되었다는 이야기는 예비 알코올 중독자가 되었다고 보기에 절대 좋아할 일이 아니다. 내성의 증진에 대해 또 하나 알아야 할 점이 있다.

내성이 길러진 술꾼이 취중 사고로 상처를 입어 수술을 해야 할 경우 난감한 일을 당하기 쉽다. 환자를 수술대에 뉘이고 마취를 실시해도 도무지 마취가 되지 않는다. 환자는 계속 고통만 호소하고 마취는 듣지 않고 이 경우 환자가 술을 과도하게 마셨을 때에는 간에 알코올을 무독화하는 마이크로좀의 효소가 충분히 증가되어 있어 마취제를 주사해도 효소가 그 마취제를 빠르게 와해시켜 버리기 때문이다. 말기 알코올 중독자는 자신의 주량이 예만 못함을 깨닫는다. 내성의 감퇴다. 이는 간이 이미 병들어 제 기능을 다하지 못한 증거로 사망이 가까이 왔다고 해도 과언이 아닐 것이다.

수면을 위한 음주 위험

깊은 번민으로 잠 못 이루는 밤을 지새우다 보면 술을 찾는 경우가 많다. 애주가들 중 잠들기 전에 술을 즐기는 사람들이 상당수 있다. 이들은 습관성이 있는 수면제보다 술을 마시는 것이 더 안전하다고 믿고 있으나 실제는 그렇지 않다. 수면을 위한 음주는 습관성을 불러오며, 바로 알코올 중독의 지름길이 된다.

하루 종일 일에 솜처럼 지친 몸의 피로를 풀고자 한 잔 마시고 잠을 청하는 버릇, 세상고민으로 잠을 못 이룰 때 한 잔 마시고 잠을 청하는 버릇은 기간이라 부르지 못할 정도의 짧은 시간에 습관성이 되고, 곧 중독으로 진행된다. 알코올 중독이 된 후에는 술을 마시지 않고는 잠을 잘 수 없게 된다. 심신이 피로할 때 술을 마시면 안정이 오고 잠을 이루기가 쉬워진다. 그러나 알코올의 내성 때문에 소량으로 시작된 술의 양이 날이 거듭될수록 점점 증가한다. 처음 소주 반병으로 잠을 이룰 수 있었으나 나중에는 더 많은 양의 술을 마셔야 잠을 이루게 된다.

술을 마시고 자는 잠은 완전한 수면이 아니다. 음주 후의 취기는 뇌 속의 뇌하수체를 자극하여 항이뇨중추를 억제, 잦은 배뇨현상을 불러와 빈번한 화장실 출입으로 오히려 수면 장애를 가져온다. 또한 대뇌중추를 자극, 흥분시켜 처음에는 수면 상태에 들어 갔다가도 간장의 분해대사로 알코올의 혈중 농도가 떨어지면 얕은 잠으로 바뀌게 된다. 단시간의 수면이 이루어질 뿐 충분한 수면을 할 수 없게 되는 것이다.

불면증으로 고생하는 사람은 알코올에 의지하지 말고 의사의 처방에 따라 부작용이 없는 수면제 사용이 바람직하다. 수면제를 사용하면 간장의 분해효소인 마이크로좀 산화계의 작용으로 대사가 진행되므로 간장에 그리 큰 부담을 주지 않는다. 알코올에 의존하여 잠을 청하던 사람에게 권할 수 있는 가장 바람직한 방법은 알코올이나 수면제 없이 금단의 고통을 이겨보는 것이다.

잠을 자지 못해 죽는 사람은 없다. 불면 금단은 알코올에 익숙했던 육체(신경)가 술 없는 상태로 회복되어 가는 과정이다. 수면 부족은 사람에게 심각한 손상을 입히지 않지만 다시 술을 마시기 시작하면 신체가 심각한 손상을 입는다. 한달 정도면 원래의 수면 패턴으로 돌아온다. 자연스런 수면 리듬이 돌아오기 위해서는 정신병적 불면 증상이 아닌 한 수면제도 사용하지 않는 것이 좋다.

장기음주 혈액이 변한다

인간의 장기 중 심장은 가장 중요하다. 심장이 일하지 않으면 사람은 죽을 수밖에 없다. 그 심장이 하는 일이 바로 혈액 공급이다. 즉 혈액 공급 때문에 심장이 필요하다는 이야기가 된다. 피는 이렇게 중요하며 바로 생명이다. 장기간 음주자의 혈액은 이상을 일으킨다. 먼저, 사람은 태어날 때 알카리성 혈액을 갖고 태어난다.

그 이유는 혈액도 오염될 수 있기 때문이다. 이것은 식품 장기 저장의 원리를 생각하면 그 의문이 간단히 풀린다. 현대와 같은 냉장고가 없던 시절의 식품 장기 저장 방법으로는 소금에 저리는 염장, 설탕에 저리는 방법 그리고 술에 담그는 방법이 있다. 이 원리와 같이 오염을 방지하기 위해 태어날 때 인간의 혈액은 알카리성인 것이다. 그런데 이 알카리성 혈액이 장기간 술을 마시면 산성으로 변한다. 더욱 중요한 것은 장기 음주자의 혈액에 이변이 일어나는 것이다.

혈액을 만드는데 필요한 비타민과 엽산 등은 적혈구를 만드는데 없어서는 안되는 물질들이다. 이들 중 엽산은 아주 중요한 역할을 한다. 술을 상습적으로 마시는 사람의 피 속에는 엽산이 감소된다. 엽산이 감소되면 적혈구의 알맹이가 기형적으로 커지는 적혈구거대아세포가 발생하여 빈혈이 일어난다. 빈혈이 생기는 이유는 엽산이 감소되면 철분 결핍이 일어나고 철이 결핍되면 인체의 혈색소 형성을 방해하여 적혈구가 제 기능을 발휘할 수 없게 된다.

이 현상은 간질환 때도 발생한다. 상습 음주자에게 발생하는 백혈구 감소증도 심각하다. 백혈구는 신체 방어기전의 중요한 몫을 담당하며, 체내에 침입한 병원체를 공격하여 사멸시키고, 면역체를 생성케 한다. 이런 백혈구가 감소된다는 것은 무장 해제를 한 상태에서 적군과 조우하는 것과 같다. 이런 상태에서는 에이즈나 폐렴, 폐결핵 및 늑막염이나 성병 등을 앓고 있다면 고단위 항생제를 사용해도 효과를 기대할 수 없으며 내성만 기를 뿐이다.

또 음주 상태에는 술을 마시지 않은 상태와는 달리 성관계에서 몇 배나 성병에 감염될 위험이 높다. 알코올 장기 사용자는 혈액 응고가 지연되거나 안되는 경우도 있다. 이는 지혈에 필요한 비타민인 비타민K의 수준이 떨어져 혈액 응고의 장애를 일으키기 때문이다. 그리하여 음주 상태에서 교통사고로 대출혈이 일어났을 경우 지혈에 장애를 일으켜 치명적 상태에 이를 위험이 있다.

음주와 심장마비

심장은 수축과 확장 운동이 쉼 없이 이루어짐으로써 생체가 생존할 수 있다. 단 몇 초만 심장이 멈추어도 사람은 사망한다. 70세의 사람은 일생 동안 심장 박동 수가 무려 25억 7천백 44만 번을 1초도 쉬지 않고 뛴다. 이렇게 귀중한 장기를 우리는 두려움 없이 술로 손상을 입힌다.

40 초반의 젊은 사람이 수면 중 급사했다. 부검 결과 급성 심장마비였다.그런데 이상한 것은 심장이 보통 사람보다 2배 가까이 커진 것이 발견되었다. 그것은 술을 마시면 심장이 평소보다 빨리 뛰고 강하게 펌프질하기 마련이다. 이는 심장에서 많은 양의 혈액이 쏟아져 나온다는 것을 의미한다. 그러나 이를 송출하는 혈관은 신축성이 없어 쏟아져 나오는 혈액을 원활히 조직으로 보낼 수 없다. 자연 바람을 불어넣으면 풍선이 부풀어오르듯 심장이 부풀 수밖에 없게 된다. 심장은 고유 기능인 혈액 공급을 위한 수축과 확장을 전처럼 할 수 없게 된다. 이 젊은이의 심장 비대의 원인은 음주 때문이었다.

술을 마시면 심장 박동이 빨라진다. 가슴에 손을 얹으면 손이 들썩이는 듯 하다. 이렇게 심장이 빨리, 강하게 뛴다는 것은 그만큼 심장이 일을 과도하게 한다는 것을 의미하고, 과도한 일에는 소비되는 에너지도 많다. 결국 과로로 심장은 제구실을 하기 어렵게 된다.

요즘 건강을 지키기 위해 많은 사람들이 등산 조깅 등을 즐긴다. 이런 운동을 하면 심장박동이 빨라지고 조직에 평소보다 더 많은 산소를 공급하게 되어 유익한 결과를 가져온다. 이것이 유산소 운동이다. 그러나 술을 마신 상태에서는 평소와 같은 양의 산소가 공급되는 상태에서 심장 혼자만 일을 하므로 결국 헛된 에너지만 소비한다. 이런 일이 반복되면 심장은 부담을 갖기 마련이다. 더 나가서 알코올이 심근에 직접 작용하여 심장 세포 속에 있는 미토콘드리아라는 세포핵 물질에 이상을 초래한다.

전자현미경으로 심장 세포를 살펴보면 퇴행성 변화와 구조이상이 나타난다. 또 효소의 유리를 동반한 ATP물질 이상을 일으키고 심장의 약화를 가져와 심근염을 발생시킨다. 이것이 만성 장기 음주자에게 나타나는 보편적인 심장 질환인 심근염이다. 심근염은 심근 수축 능력을 약화시켜 혈액을 심장 밖으로 내뿜는 송출하는 송출력의 감소를 가져와 심장 자체를 비롯하여 인체의 모든 조직에 산소와 영양을 공급할 수 없게 되어 신체 이변이 일어난다.

술을 마신 상태에서는 칼슘 결합이 원활히 이루어지지 않아 심장 수축에 영향을 주며 심장 세포의 ATP와 혈관 내막에 대한 전해질의 활동을 저해한다. 간에서의 알코올 분해 과정에서 생기는 아세트알데히드가 심근을 침범하게 되며 심근이 비대하여 부풀어오르고 심근 섬유에 지방이 들어붙어 펌프 기능을 충분히 할 수 없게 되는 등 복잡하고 미묘한 생화학적 변화가 일어난다.

또 심근의 약화는 전신의 순환 장애를 일으켜 얼굴과 수족에 부종이 오고, 호흡 곤란, 흉통, 심한 피로, 심계항진, 혈담 등의 증상이 진행적으로 발생한다. 결국 술을 장기간 마시면 알코올성 심근증이 생기고 이것이 진행되어 울혈성 심부전증, 심근경색, 협심증, 고혈압, 돌연사, 부정맥 등 치명적 중대 질환이 연이어 일어난다,

알코올성 심근 질환은 심부전증과 같은 합병증이 생기지 않는 한 의사의 치료와 섭생으로 치료가 가능하다. 그러나 5-6년의 치료 기간이 필요하며 치료의 성공 여부는 철저한 금주에 달려있다는 사실을 명심해야 한다.

뇌가 마르면 나타나는 증상

모든 생물을 구성하는 세포가 살아 있을 때에는 원래의 모습을 유지한다. 그러나 세포가 죽으면 말라 쪼그라들며 제 모습을 상실한다. 한 손으로 쥐기 버겁던 과실도 말라버리면 모양이 줄어 씨앗에 껍질만 남은 볼품 없는 모습이 된다. 인간의 뇌도 마찬가지다. 술꾼의 뇌가 말라 있다는 것은 이미 오래 전부터 지적되고 있었다. 비교적 젊은 나이에 사망한 술꾼의 뇌를 해부해 보면 그런 사실이 극명하게 드러난다. 뇌 전체가 말라 위축되어 있고, 표면에 있는 흠이 넓고 깊게 패어 있다. 또 수액이 채워진 뇌의 공간인 뇌실이 넓게 커져서 젊은 사람의 뇌라는 사실을 의심할 정도로 무게도 가벼워진 것이 발견된다.

오늘날 널리 보급된 X선 컴퓨터 단층화상법이 등장한 것은 1970대 후반이다. 이 컴퓨터 단층화상법이 보급되기 전까지는 살아 있는 사람의 뇌를 병리 해부할 수 없으므로 술꾼의 뇌의 변화를 관찰 할 수 없었다. 그러나 지금은 뇌 속을 열어보지 않고도 쉽게 살펴볼 수 있게 되었다. 즉, 술꾼의 뇌의 위축된 모습을 밝힐 수 있

게 된 것이다. 이 컴퓨터 단층화상법에 의하면 뇌 속에서도 전두엽이 마르는 것이 특히 두드러져 보인다. 소뇌의 앞부분도 가끔 마른다. 소뇌가 마르면 보행장애를 수반한다. 전두엽이 마르면 자제심의 결여, 화내기, 충동적 행동 등이 나타난다.

알코올 전문학자들의 조사로는 매일 청주 3홉 정도를 마시는 음주자의 절반 정도가 차이는 있으나 뇌가 마르고 있었다. 이런 사람들의 특징은 어떻게 나타날까? 가장 큰 문제는 보행장애다. 두드러지게 나타나는 것이 광기성 보행이다. 광기성 보행이란 뇌가 손상되어 몸의 중심을 잡아주지 못하므로 넘어지지 않으려고 자기도 모르는 사이에 다리 사이를 넓게 벌리고 걷는 것을 말한다. 걸음이 광기성이 되면 자연 걸음 폭이 자연스레 좁아져 종종 걸음이 된다. 또 급히 방향을 바꿀 때 한번에 휙 바꾸지 못하고 종종걸음으로 조금씩 바꾼다. 계단을 오르내리는 것이 힘들어지고, 발이 무거워 보행에 어려움을 겪는다. 나중에는 지팡이를 사용하게 된다.

대뇌가 마르면 청각 반응 장애도 발생한다. 사람의 귀에 들어온 소리는 외이도의 안쪽을 막고 있는 고막을 진동시킨다. 그 진동은 중이에 있는 작은 3개의 뼈를 거쳐 안쪽으로 진행하여 중이의 안쪽에 있는 달팽이 모양의 소용돌이 바깥쪽 끝에 도달하여 그 속에 들어 있는 액체를 파도치게 한다. 이 파도는 소용돌이를 따라 점점 안쪽 깊이 파급된다. 이 과정에서 액체에서 튀어나온 파동을 감지하는 장치를 진동시킨다. 이 자극은 거기에 분포되어 있는 청각신경에 의해 뇌로 옮겨진다. 이런 과정을 통해 사람은 소리를 감지한다. 이 진동은 뇌에 들어간 다음 일정한 경로로 대뇌의 측두엽으로 보내져 소리로 인식된다.

음주자에게는 이 신호의 발생이 늦어지는 경향이 있다. 이 또한 미세한 수준에서 보면 대뇌가 말라 위축되는 것이 소뇌의 경우와 비슷하여 신경 세포의 수가 줄고 살아남은 것도 오그라들기 때문인 것이다.

청소년 음주의 위험성

어느 고등학교 총동창회에서 일어난 일, 2,30대 청년팀과 4,50대 장년팀이 축구 경기를 벌였다. 어느 누구도 까마득한 선배들인 장년팀이 이기리라고는 생각지 않았다. 그러나 경기 결과는 전혀 예상을 빗나갔다. 장년팀의 완승이었다. 한 골 차이라면 선배 대접으로 져주었다고 변명할 수 있겠으나 스코어는 3대 0이었다. 이 결과가 시사하는 바가 크다.

청년들은 자신의 젊음을 믿고 몸 관리를 소홀히 하나 장년에 이르면 자신의 건강은 자신이 챙긴다는 것이다. 이런 사실은 음주 인구 조사에도 여실히 나타난다. 장년과 노년의 음주 인구는 현저히 감소하는 반면에 청소년과 여성 음주는 급격히 증가하고 있다. 그리하여 식자들은 청소년 음주에서 우리의 앞날을 걱정하고, 여성 음주에서 우리의 2세를 걱정한다. 편의상 청소년 음주라고 이야기하나 정확하게는 미성년자 음주가 문제가 된다. 미성년이기에 술을 마시면 성인보다 더 강렬하게 인체에 작용한다. 이는 인체의 세포를 비롯한 모든 조직들이 아직 성숙되지 못했고, 계속 성장하는 시기이므로 유독물질의 침해를 쉽게 받아들일 수 있기 때문이다.

미성년기에 술을 마시면 빠른 속도로 뇌신경 세포에 알코올이 확산되어 마비현상이 일어나고 감각과 운동의 둔화가 초래된다. 판단력을 상실할 뿐만 아니라 대뇌피질의 기억세포가 파괴됨으로써 기억력이 감퇴된다. 파괴된 기억세포는 다른 조직세포와는 달리 절대로 재생되지 않는다. 이는 술을 마시지 않는 미성년에 비해 영구히 기억력이 저하된 상태로 살아야 한다는 것을 뜻한다.

또한 미성년기에 술을 마시면 뇌신경계의 마비와 흥분을 야기하게 되고, 동시에 엔돌핀이란 물질이 과잉 분비된다. 엔돌핀은 아드레날린과 전혀 상반된 역할을 하는 호르몬이다. 사람마다 긍정적인 생각을 하고, 낙천적이며, 기쁨이 충만할 때 분비되는 호르몬으로 어떤 학자는 이 엔돌핀이 항상 분비되는 환경을 조성해 주면 무병장수한다고 한다. 심지어 암세포도 파괴하는 힘이 있다고 주장한다. 그러나 이렇게 유익한 엔돌핀이 과다 분비되면 성격 이상을 가져온다. 즉 평소에는 상상조차 아니하던 엉뚱한 행동을 주저 없이 대담하게 감행하는 유포리아와 유사한 증상이 일어난다.

예를 들면 지나가는 여성을 희롱하거나, 강도 강간도 불사하고, 행인을 구타하고 돈을 빼앗기도 하며, 길에 세워둔 남의 차에 발길질하여 손상을 입히기도 한다. 술을 한번 입에 댄 이후부터 취했을 때의 쾌감을 잊지 못해 또다시 술을 마시게 된다. 이런 습관성 음주는 나이가 어릴수록 빨리 온다.

술을 장기간 대량으로 마시면 아편과 같은 화확 작용을 하는 뇌내 화확 물질인 THIQ이 생성된다. 이 물질은 마치 아편을 사용했을 때와 같은 느낌을 갖게 하며 또한 아편과 같은 습관성 또는 중독을 일으키는 성질이 있다. 소년기에 술을 마시면 엔돌핀과 THIQ가 동시에 분비되어 상승 작용을 일으켜 언어와 행동이 비정상적으로 변하고 모르핀을 사용했을 때 일으켰던 중독 상황과 똑같은 현상이 일어난다. 미성년기는 육체와 정신의 성장이 절정에 이르는 시기인 만큼 예민하고 손상도 그만큼 크다. 그러므로 미성년기에 술을 마시면 성장 호르몬의 분비가 억제되어 성장 장애를 초래한다. 이 성장기를 놓지면 다시는 성장을 기대할 수 없어 왜소한 체격을 감소할 수 밖에 없다.

술과 성기능 장애

알코올 중독자 부인을 만난 일이 있다. 그녀의 이야기에 큰 충격을 받았다. 알코올 중독자인 남편이 7년 금주를 하고 있는데, 아직도 한 지붕 밑에 같이 살지만 각각 다른 방을 쓰며 남남처럼 살고 있다는 것이었다. 나는 속으로 그녀를 비난했다. 술 끊기가 얼마나 힘든데, 수년을 아니 십 수년을 온 가족이 술과의 전쟁을 벌였을 텐데, 7년씩 금주한 남편과 남남처럼 살아? 그 고생 말고 애시당초 이혼할 일이지...

그러나 그녀의 다음 이야기를 듣고 고개를 끄덕일 수 있었다. 남편이 가까이만 와도 온 몸에 소름이 돋아요. 이상 설명이 필요 없었다. 그녀의 남편은 임포텐스(발기부전)가 되었을 것이다. 거기에다 술을 흥분제로 잘못 알고 역한 냄새가 진동하는 입으로 키스를 강제로하고, 임포 상태에서 밤새 성욕을 채우고자 아내를 괴롭혔으니 이것은 차라리 고문이었을 것이다.

전문학자들이 술을 대량으로 장기간 마신 사람들을 연구한 결과 테스토스테론과 안드로겐, 고나토트로핀 등의 성호로몬이 감소된 것을 발견하였다. 남성 호르몬으로 불리는 테스토스테론은 남성의 고환에서 생성되는 음경 발기에 관여하는 호르몬이고, 안드로겐도 고환에서 생성되며 남성의 제2차 성징을 조절하는 호르몬이다. 고나도트로핀은 뇌하수체에서 분비되는 호르몬으로 성선자극을 조절한다.

이들 남성 호르몬이 결핍되거나 감소되면 임포텐스가 되며, 남성에게서 여성에나 필요한 호르몬인 에스트로겐이 증가하여 남성의 상징인 수염이 사라지고 유방이 확대되어 여성화되어 간다. 이와 같은 증상들은 급만성 알코올 중독, 간경화, 간암환자에게 일어나며, 그 이유는 호르몬 대사를 활발히 하던 간이 알코올의 침입으로 대사 기능을 상실했기 때문이다.

이와 같이 성생식선들의 조직, 즉 고환이 위축되고, 호르몬이 감소되거나 아주 결핍되는 이유는 독성물질인 알코올과 알코올 분해 과정에서 생기는 아세트알데히드가 세포의 미토콘드리아를 침식하여 파괴함으로써 일어나는 결과라고 학자들은 말한다. 또 다른 원인은 효소 작용이다. 효소가 작용할 때는 언제나 보효소를 필요로 한다. 남성 호르몬인 테스토스테론도 고환에서 만들어질 때 이 보효소가 절대 필요하다.

그러나 계속적인 음주 상태에서는 간장에서 알코올의 분해대사도 쉼 없이 이루어져야 함으로 효소와 보효소가 총동원하게 된다. 총동원으로 효소와 보효소가 부족할 때에는 타조직의 효소까지 간으로 동원되어야 하기 때문에 고환의 보효소도 간으로 이동하게 됨으로 고환에는 보효소가 아주 없던가 부족상태가 된다 이럴 경우 남성 호르몬인 테스토스테론을 생산하지 못하여 성 무력증이나 불임증에 빠지기 쉽다.

여성 음주 왜 위험한가?

남성은 오랜 음주가 도를 더해 노년 초기에 의존으로 진행되는 것이 태반이나 여성은 자신이 처한 특정 상황에 민감하게 반응하여 비교적 급속히 의존에 빠지는 경우가 75%를 차지한다. 의존증도 남성과는 뉘앙스를 달리한다. 금단증상도 차이가 있으나 폭력 등 반사회적 행위는 비교적 적은 대신 성적 행동의 이상이 비교적 많고, 숨어서 마시는 경향이 많고 말초신경 장애는 여성 쪽이 더 많다.

간경변이 되기까지 남성은 평균 26.8년인데 비해 여성은 16.8년, 만성 췌장염이 되기까지 남성은 17년이나 여성은 11년이고 습관성 음주에서 알코올 중독이 되기까지 남성은 평균 20년인데 비해 여성은 평균 8년이다.

이런 사실만 보더라도 여성의 체력과 체질은 남성에 비해 1/2의 내구력밖에 안 된다는 것을 알 수 있다. 여성은 신체 구조면에서도 남성과는 판이하게 다르다. 생식계통과 내분비계통을 보면 자궁과 난소의 부속기관들을 비롯하여 이들 기관들을 컨트롤하는 내분비계에서 분비되는 여러가지 호르몬은 남성과는 상상할 수 없을 만큼 복잡하다.

외부나 내부의 작은 영향으로 주기적인 사이클이 파괴될 만큼 엄청나게 정교한 구조와 기능을 가지고 있다. 정교한 기계가 고장이 잦듯 사소한 음주에도 예민하게 반응하면 큰 영향을 받는다. 여성생식선에는 남성과는 달리 성선주기라는 것이 있다. 여성의 월경 전기엔 여성 호르몬 에스트라디올의 분비가 왕성해진다. 이때 술을 마시면 알코올은 간에서 알코올 탈수소효소와 알코올이 체내에 더 오래 머무르게 된다. 소량의 술을 마셨을지라도 대량 음주 때와 비슷한 수준으로 대사 물질인 아세트알데히드와 잔존 알코올이 간세포에 영향을 주어 간염, 지방간, 간경화의 발전을 촉진시킨다.

임신 가능한 여성들이 경구피임제를 사용할 때에도 동일한 현상이 일어난다. 경구피임제 프로제스테론이라 불리는 여성항체 호르몬이기 때문에 알코올의 간 대사분해에 영향을 받기 때문이다. 남성의 음주 원인이 피곤한 사회, 업무상 스트레스라면 여성의 경우 폐경기도 큰 요인으로 작용한다. 폐경기에 이르게 되면 여성 호르몬의 분비의 부조로 자율신경의 부조 현상이 나타난다. 대수롭지 않은 일에도 얼굴이 달아오르고 쉽게 흥분하고, 불안과 초조로 마음의 안정을 찾지못한다. 이럴 때 가장 쉬운 방법이 술잔을 기울이는 것이다. 이렇게 되면 계속되는 음주로 쉽게 알코올 중독자로 전락하고 만다. 또한 음주는 여성을 가장 귀찮게 하는 월경부조증을 발생시킨다. 과다월경이나 무월경을 일으키며 불규칙한 주기가 본인을 당황하게 만들며, 나아가 여성 불임증으로 발전한다.

음주 여성의 자연 유산이 비음주 여성에 비해 2배에 이른다. 임신 중에 술을 마시면 자신은 물론 태아까지 치명타를 입는다. 임신 중 술을 마시면 성장 호르몬의 분비 억제로 왜소체의 아기를 출산한다. 이 아기는 머리가 삼각형처럼 뾰죽하고, 눈이 작고 가늘며 좌우 끝이 치켜 올라가고, 코가 납작하고, 입술과 인중 사이가 아주 짧으며, 귀가 치켜 올라가고, 머리 둘레가 짧으며, 지능지수가 낮아 지둔아와 같고, 중추신경계에 이상이 있다. 또한 심장격벽에 결손이 있어 항상 심장에 잡음이 들리고, 고환이 위로 올라붙어 외부에서 만져지지 않으며, 피부에 딸기 모양의 혈관종이 발생하여 보기 흉한 모양이 나타나고, 손바닥에 손금이 없고 사타구니에서 탈장이 되어 나온다.

여성이 계속 술을 마시면 여성 호르몬의 분비에 이상이 일어나 제2성징인 여성이면서도 남성의 징후가 나타난다. 수염이 난다든지, 젖가슴이 없어진다. 뇌하수체의 고나도트로핀(성성자극 호르몬)과 에스트로겐 및 프로제스테론 등 여성호르몬이 알코올로 인해 분비가 억제되므로 절박 유산, 무월경, 불임 등의 증상이 나타난다. 이런 증상이 나타나면 간의 손상이 심각한 수준에 이르렀음을 말해준다.

음주와 당뇨병

췌장은 인슐린을 만들며, 만들어진 일슐린은 혈액 속에 들어가 몸 안에 장기 조직에서 작용한다. 인슐린이 없으면 섭취된 포도당은 활동을 위한 에너지원으로 이용되지 못한다. 혈액속에서 사용할 수 없는 포도당은 쌓이게 되고, 누적된 포도당은 결국 소변으로 배출된다. 포도당이 섞인 소변은 단맛을 내어 당뇨란 이름이 붙게 된 것이며, 이것이 당뇨병이다.

췌장에서 분비된 소화액은 두 가닥의 관을 통해 십이지장으로 흘러 들어간다. 음주자의 이 관들은 울퉁불퉁하고, 구불구불하여, 굵어졌다 가늘어졌다 하여 소화 췌액의 흐름을 방해하여 계곡 하류의 댐이 생긴 것처럼 췌액을 고이게 한다. 고인 췌액은 내압이 상승되어 부근의 관벽을 파괴하며 가까운 췌장 세포 집단 자신을 소화(녹여)해 버리게 된다. 췌장 세포 집단은 혈액에 섞여 흘러온 알코올의 작용으로 상하기도 한다. 알코올의 작용으로 췌액 분비의 조절 기구에 변조도 일어난다. 항원이 된 췌세포의 막에는 항체와 감작 T임파구도 작용한다. 분비되는 췌액의 성질도 바뀐다. 이것들이 얽혀 췌장이 점점 상해간다. 이것이 만성 췌장염이다.

알코올로 말미암아 급만성 췌장염이 발생되면 인슐린을 분비하는 췌장의 링게르한스섬(췌장 내부에 바다 위의 섬처럼 무수히 산재한 세포군)까지 파괴되어 인슐린을 만들어 낼 수 없게 된다. 설사 인슐린이 분비된다 할지라도 인슐린을 받아들이는 수용체가 체내에 들어간 알코올 때문에 당 조절이 전혀 불가능하게 된다.

당뇨병은 반드시 알코올 때문에 걸리는 것은 아니나 대부분이 상습 음주자에게서 급만성 췌장염이 나타나고 여기서 다시 당뇨병이 발생하기 때문에 당뇨병의 주요 인자로 꼽게 된다. 당뇨병은 연

령적으로 30대에서 50대의 발병률이 높은 것으로 통계에 나타난다. 이것은 할리데이 하트 신드롬(일요일 휴일 등의 전날에 과음하여 심장에 고통을 받는 것)과도 관계가 있다.

당뇨의 초기 증상은 다음, 다식, 다뇨의 3대 증상을 들 수 있다. 목이 말라 계속 물을 마셔도 갈증은 계속 된다. 마신 물 때문에 쉴 새없이 소변을 보아야 하고, 식욕의 이상 항진으로 항상 허기진 사람처럼 게걸스레 먹어도 다시 허기를 느껴 쉴새없이 먹어야 한다. 이런 증상이 오면 전신의 수분이 빠져나가므로 탈진과 허탈과 피로가 쌓여 급격히 체중이 감소된다.

당뇨는 그 자체보다 그로 인한 합병증이 더 무섭다. 신체 어느 부위에 상처가 나면 치료해도 회복되지 않고 악화된다. 발가락의 염증이 악화되어 다리를 절단하는 경우도 자주 목격된다. 안저에 출혈이 오면 실명의 가능성도 있고 동맥경화, 고혈압, 뇌연화증 등의 합병증을 일으킬 수 있다. 당뇨병은 현대 의학으로도 치료가 불가능하다.

그러나 술을 완전히 끊고 식이요법과 적당한 운동으로 몸 관리를 하는 경우 일상생활의 지장까지는 받지 않는다. 알코올성 당뇨로 치료를 포기한 환자가 술을 완전히 끊고 운동과 식이요법으로 회복되어 큰 수술까지 받고 건강을 회복한 사례도 있다.

지방간과 간경변

지방간에서 계속 술을 마시면 간경변(간경화)으로 가는데, 간경변이 일단 일어나면 술을 계속 마시는 한 40%는 5년 이내에 사망한다고 의사들은 말한다. 지방간에서 가는 길은 두 가지가 있다. 그 중 하나는 간섬유증을 걸쳐 간경변으로 가는 길이다.

지방간 상태에서 계속 술을 마시면 간장에 질긴 실과 같은 단백질이 조금씩 증가하여 간세포를 하나하나 둘러싸고 조여간다. 이 실(섬유)은 그물눈처럼 퍼져있는 가는 혈관의 벽 세포에서 만들어진다. 일부 학자들은 아세트알데히드가 간섬유의 발생을 촉진시킨다고 생각한다. 이 간섬유증이 발전하면 이 실에 조임을 당한 간세포들이 점차 죽어가고 죽은 간세포가 증가함에 따라 간이 굳어지는 간경변이 된다.

간경변은 이 간섬유증으로부터 시작되는 것보다 알코올성 간염으로 시작되는 경우가 훨씬 더 많다 그 경로를 살펴보자. 간세포에는 미소관이라 불리는 파이프가 많이 이어져 있다. 간에서 만들어지는 물질들은 이 파이프를 통해 인체 구석구석에 보내진다. 알코올이 들어오면 이 파이프의 수가 급격히 감소된다.

그것은 알코올 분해 과정에서 발생하는 아세트할데히드가 이 미소관의 재료인 단백질을 중합하여 파이프 모양이 큰 분자가 되는 것을 방해하기 때문이다. 파이프 수가 줄어들면 간세포에 만들어지는 알부민 등의 단백질이 점점 쌓이게 된다.

간세포의 벽은 어느 정도 탄력이 있어 처음에는 고무풍선을 불면 팽창하듯 부풀어오르는 간세포의 풍선화 현상이 일어난다. 풍선도 과도하게 불면 터지듯 간세포 내의 내압을 견디지 못하고 터져 죽게 된다. 간세포의 괴사다. 터지기 전, 부풀어오른 간세포는 사이로 흐르는 혈액의 흐름을 방해하며, 이렇게 혈액 공급의 부족이 세포 괴사에 박차를 가한다.

파괴된 곳에는 백혈구가 달려와 파괴되어 생긴 쓰레기를 처리한다. 이것이 알코올성 간염이다. 급격히 진행되는 것이 급성이다. 파괴된 곳에는 콜라겐이란 딱딱하고 가는 실이 많이 나타나 질긴 그

물처럼 간세포를 둘러싸고 서서히 조여나간다. 조임이 시작되면 간세포 사이의 혈류의 흐름도 나빠지고 간세포의 괴사는 더욱 빠르게 진행된다.

술을 마시면 간장은 알코올을 처리하기 위해 더 많은 산소를 필요로 한다. 건강한 간장은 혈액을 많이 흐르게 하여 수요의 증가에 대처하고 있으나 술을 마시면 폐도 영향을 받기 때문에 산소 부족 상태가 되기 쉽다. 이런 산소의 부족이 간세포를 더욱 많이 상하게 하는 원인이 된다. 알코올성 간염의 증상은 간섬유증이 더욱 진행된 상태이고 거기에 부어오른 간장이 밖에서 만져질 정도로 비대해지고, 배에 물이 차고 비장이 커지기도 한다. 간기능도 간경변에 가까울 정도로 저하된다.

뇌세포 왜 이렇게 될까?

배우 출신의 대통령으로 유명한 미국의 도날드 레이건, 그는 미국 역사상 손꼽히는 유능한 대통령이었다. 그런 그가 겨우 부인 정도만 알아보는 알츠하이머병에 걸린 것으로 우리는 알고 있다. 알코올성 치매라는 것도 있다. 일종의 치매 환자로 보면 이해가 쉬울 것이다. 총명하던 사람도 늙으면 기억력이 떨어진다. 이것은 노인성 치매다. 치매환자의 경우 가족이 겪는 고통을 경험해 보지 않은 사람은 그 아픔을 모른다.

조금전 밥을 먹었음에도 불구하고 식사한 사실을 잊어 누가 오면 며느리를 향해 저년이 나를 굶겨 죽이려고 밥도 안 준다고 욕을 한다. 집을 나가면 길을 잃어 경찰 신세를 져야 한다. 집안의 가

전제품 가스기기를 함부로 만질까 두려워 외출도 할 수 없다. 하루 24시간 간병인이 붙어 있어야 한다.

왜 이렇게 될까?

생물학자에 의하면 인간의 기억세포는 약 140억 개로 알려졌다. 이 기억 세포는 그냥 두어도 하루에 약 10만 개씩 죽어간다. 사멸된 기억세포는 다시 소생하지 않는다. 육체는 건강해도 이렇게 많은 뇌세포가 자연 파괴된다. 그냥 두어도 이렇게 많은 뇌세포가 죽어 가는데 여기에 술을 마시면 뇌세포의 파괴는 더욱 심해진다. 뇌세포의 자연사 알파(술로 인한 뇌세포 파괴)다.

최근에 개발된 뇌검사장치로 장기음주자의 뇌를 검사해 보면 뇌의 중추부분인 전두엽이 말라 있음을 발견하게 된다. 또한 뇌 속에 신경 과대 흥분을 억제시키는 화학 물질이 감소되어 있음을 발견한다. 이 물질이 감소되면 경련이나 흥분이 일어나기 쉽고 공격적 성향을 띄게 된다. 취객들의 다툼이나 가정불화도 여기에 이유가 있는 것이다.

술꾼이라 자부하는 사람치고 필름이 끊기는 현상을 경험하지 못한 사람은 없을 것이다. 이런 기억상실을 영어로 '블랙 아웃'이라 한다.'검은 포장을 쳐서 집안을 깜깜하게 한다'는 말이다. 아무리 기억력이 좋던 사람도 장기간 술을 마시면 대뇌피질에 있는 기억세포가 파괴되며 현저히 기억력 감퇴를 가져오는데, 이 경우 술을 완전히 끊어도 기억력은 결코 다시 소생하지 않는다. 특히 어린 나이일수록 더욱 큰 피해를 받을 수 있기 때문에 청소년 음주는 금해야 한다.

그렇다면 왜 술이 뇌세포를 파괴할까?

아직 규명된 학설은 만나지는 못했으나 당뇨환자의 저혈당 쇼크를 생각하면 답이 나올 것이다. 저혈당 쇼크로 쓰러진 환자의 뇌를 CT활영을 해보면 많은 뇌세포가 죽어 있는 것을 알게 된다. 저혈당이 뇌세포의 파괴를 불러오는 것이다. 대부분의 알코올 중독자는 술을 입에 대면 곡기를 끊는다. 영양을 섭취하지 않고 독성 물질인 알코올이 들어오면 간은 이 독을 무독처리(분해대사)하기 위해 간이나 근육에 비축해 두었던 영양소를 빌어다 쓸 수밖에 없다.

술은 계속 들어오고 비축해 두었던 영양소도 바닥이 나고 간은 하는 수 없이 우리가 I.M.F를 맞아 세계은행 돈을 급한 나머지 온갖 굴욕을 감수하고 빌어다 쓰듯 뇌에서 필요로 하는 양질의 포도당도 뇌세포야 죽든 말든 생명부터 살리는 것이 급선무임으로 끌어다 쓸 수밖에 없는 것이다. 필요한 포도당을 술에게 빼앗긴 뇌세포는 상처를 입고 죽어갈 수밖에 없다.

해장술 알코올 중독의 지름길

술꾼치고 해장술을 마셔보지 않은 사람은 거의 없을 것이다. 술은 술로 푸는 법이라고 알려져 과음한 다음날 아침이면 자연스레 아주 두려움 없이 따끈한 국물에 해장술을 마신다. 해장술이 들어가면 쓰리던 속이 풀리고 아프던 머리가 시원해지고 침침하던 눈도 한결 맑아지는 것 같다. 그 맛에 술꾼들은 주저 없이 해장술을 마신다.

그러나 알코올 중독 치료기관에서 중독증의 판정 기준에 이 해장술이 가장 큰 비중을 차지한다는 사실을 아는 사람은 많지 않다. 알코올 중독자는 술을 마신 다음날 반드시 해장술을 마시고, 평범한 술꾼도 해장술이 잦다보면 중독으로 가는데, 이런 위험천만인 해장술을 왜 마시는 것일까? 그것은 숙취 고통 때문이다.

그럼 숙취란 무엇일까?

취기가 아직 잠에서 깨어나지 않은 상태를 말한다. 취기, 즉 덜 깬 상태에서 아침을 맞은 것이다. 숙취는 과음한 다음날 온다. 과음이란 자신의 주량을 초과하여 술을 마시는 것이라는 사실쯤은 누구나 다 알고 있다. 그러나 주량이 무엇을 의미하는가를 아는 사람은 의외로 많지 않다.

흔히 내 주량은 소주 반병, 아니면 1병이라고 겸손해 하는가 하면, 7병 또는 10병이라고 주량을 자랑하며 남자다움을 과시하는 술꾼들도 쉽게 만난다. 죽을뚱 살뚱 기를 쓰고 토해 가면서 술을 마시고 필름이 끊긴 상태에서 귀가하여 아침을 맞고, 그리고 숙취의 고통 때문에 해장술을 마신다. 이렇게 7병 10병 마신 술의 양을 자신의 주량이라고 자랑한다. 주량이란 자신의 간장이 분해할 수 있는 양을 의미한다.

대체로 체중 60㎏ 성인 남자가 분해할 수 있는 알코올의 양은 순 알코올의 경우 시간당 7㎖ 정도인 것으로 밝혀졌다. 사람마다 간 기능의 차이는 있겠으나 70㎖의 알코올을 마셨다면 간이 알코올 분해 효소를 뿜어내 무독 처리하여 몸 밖으로 배출하는데 최소한 10시간이 필요하다는 계산이 나온다. 그러니까 적정 주량이란 자신의 간이 마시고 잠든 시간 동안 인체에 들어온 술을 완전히 분해(무독처리)할 수 있는 양만큼을 의미한다. 물론 깨어난 다음날 아침 몸에 알코올끼가 전혀 없고 숙취가 없어야 한다.

주량을 초과해 마신 술이 숙취를 부르고, 숙취가 고통을 수반하고, 고통을 진정시키기 위해 마취성 약물인 술을 마시고, 그 취기가 다시 술을 부르고 그 술이 다시 과음을 초래케하고, 이런 악순환 과정에서 알코올 중독이 진행되는 것이다. 정상적인 음주자도 과음을 한다. 다음날 숙취의 고통 때문에 해장술을 마신다. 그러나 필요한 경우 마시는 것을 중단한다. 알코올 중독자도 과음한다. 그리고 다음날 해장술을 마신다. 해장술이 다시 과음을 불러온다. 다음날 다시 숙취의 고통으로 또 해장술을 마신다. 이런 악순환이 계속 된다. 그것이 정상적인 음주자와 중독자와의 차이점이다.

중독자란 일단 인체에 술이 조금이라도 들어가면 점점 더 많은 술을 마시고 싶은 욕구가 증진되는데, 이 욕구를 참지 못하는 사람들이다. 그렇다면 과음한 다음날 아침 해장술을 마시는 경우가 종종 있는 나도 중독자란 말인가? 답은 간단하다. 꼭 중독자라고 말할 수 없으나 예비 중독자인 것이다.

음주와 뇌졸중

심장에서 송출되는 피를 신체의 구석구석으로 운반하는 통로 구실을 하는 핏줄을 동맥이라 하고, 그 피를 다시 심장으로 거두어들이는 통로 역할을 하는 핏줄을 정맥이라 한다. 이들 동맥과 정맥은 튼튼하여 쉽게 손상을 입지 않으나 모세혈관은 그러하지 아니하다. 모세혈관은 문자 그대로 솜털같이 가는 혈관으로 신체 구석구석에 분포되어 있다.

모세혈관은 단층의 엷은 벽으로 이루어져 있으며 적혈구가 겨우 통과할 정도의 굵기다, 세동맥과 모세혈관은 부드럽고 탄력이 있는 구조로 되어 있으나 알코올이나 당에 쉽게 손상을 입는다. 술을 즐기는 애주가들 중 코끝이 붉고 마치 딸기처럼 융기물이 돋아 있는 것을 볼 수 있다. 술을 아주 즐기는 대주가에게서 볼 수 있는 딸기코라 부르는 주사비로 병의 일종이다.

이는 콧등을 비롯하여 그 부근의 피하의 모세혈관이 알코올에 의해 확장되어 선홍색 또는 암홍색을 띠며 코의 피하에 있는 피지선의 분비가 왕성해져 여드름처럼 돋아난 것이다. 인체에서 모세혈관이 가장 발달한 부위는 머릿골 속이다. 이 두개 내 모세혈관들은 너무 가늘고 두께도 얇기 때문에 작은 충격에도 심각한 영향을 받기 쉽다.

술을 즐기는 사람들에게 뇌졸중이 많은 이유가 여기에 있다. 술을 지나치게 많이 마시면 모세혈관이 확장되어 혈관벽이 손상을 입는다. 그래도 계속 술을 마시면 혈관벽이 더 이상 혈압을 견디지 못하여 터져버린다. 이것이 뇌출혈이다. 뇌혈관이 파열되면 혈액이 누출되고 혈관을 빠져나온 혈액은 반고형의 혈괴를 만들어 주위의 신경 조직을 압박하게 된다. 이렇게 압박 받은 신경의 해당 부위가 마비를 일으켜 반신불수가 되거나 전신불수의 증후가 일어난다.

술을 즐기는 사람들 중 고혈압 증세를 갖고 있는 사람들이 많다. 이런 사람이 술을 마시면 혈관 내압이 더욱 상승하여 모세혈관의 파열을 촉진시킬 수 있으므로 절주로 뇌졸중을 예방해야 할 것이다.

술 취하면 과격해지는 이유

마시지 않을 때는 양같이 온순하고 법이 없어도 살고, 그렇게 신사일 수가 없는데, 일단 술만 들어가면 그렇게 사람이 망나니로 변할 수 없다고 하소연하는 가정주부들을 쉽게 만난다. 주부 김씨의 경우, 그녀는 나들이옷이 마땅치 않아 남편 몰래 남편의 신용카드를 사용하여 다소 비싼 옷을 할부로 구입했다.

이 사실을 안 남편은 술만 마시면 카드 훔쳐 쓴 나쁜 년이라고 입에 담지 못할 욕을 했다. 평소 내성적이리 만치 말이 없는 남편이 말이다. 남편도 오죽 옷이 없으면 그랬을까 하고 이해하고 다시는 안 그런다고 다짐에 다짐을 거듭한다. 그러나 마시기만 하면 바로 그 소리가 터져 나온다. 완전히 두 얼굴의 사나이다.

왜 그럴까?

의학적으로 알코올을 비선택적 억제제라고 소개했다. 즉, 마취제라는 이야기다. 뇌에 대한 알코올의 작용이 비교적 빨리 미치는 부분과 느리게 미치는 부분이 구별된다. 알코올의 작용을 받아 빨리 마비되는 것은 미묘한 반응이라든가, 수의운동, 인식, 기억, 사고, 판단 능력 등의 고등 기능이고, 느리게 마비되는 것은 내장 활동의 조절 등 하등의 원시적 기능이다. 뇌의 고등 기능이 빨리 마비되는 것은 대뇌 피질에 대한 알코올의 직접 작용이라기보다 대뇌 피질 활동을 조절하고 있는 뇌의 가장 중요한 부분의 활동이 알코올에 의해 가장 쉽고 빠르게 억제되기 때문이라는 것이 밝혀졌다.

이 부분이 뇌간망양체며 여기서 부활계가 발동한다. 신피질이 알코올에 마비되어 잠들어 버린 시기에 낡은 변연피질은 아직 활동을 멈추지 않는다. 신피질은 뇌간망양체에서 발생하는 부활계에 의해 활력을 받고 있다. 부활계가 알코올에 마비되어 둔해짐에 따라 신피질도 작용하지 못하게 되는 것이다.

본능, 욕망과 관계가 깊은 변연피질이 활동하고 있고, 이를 조절하는 신피질이 먼저 잠든다는 사실은 우리의 술 취한 경험에 비추어 볼 때 신피질이 수행하는 비판적 정신, 반성하는 마음, 그에 의한 억제심이 해방되어 고삐 풀린 망아지처럼 감정과 본능대로 행동하는 주정이라는 형태로 나타나는 것이다. 가볍게 취한 상태에서는 대뇌 신피질의 기능이 저하되며, 만취 상태에서는 대뇌의 낡은

피질과 소뇌까지도 활동을 멈춘다.

마취 상태에서는 바늘로 찔러도 아픔을 느끼지 못한다. 호흡도 약해졌으나 계속된다. 내장은 활동을 멈추지 않는다. 만취 상태에서는 뇌간의 호흡과 심장을 지휘하는 중추를 남기고 다른 부분은 거의 모두 마비된다. 아픔을 느끼거나 이야기를 듣고 그 뜻을 이해하는 것과 자기 의지로 손가락을 움직이고 이야기하는 기능은 대뇌가 담당한다. 대뇌의 기능이 완전히 마비된다. 소뇌까지 마비되면 손과 발에 힘이 없어진다. 몸을 가누지 못해 쓰러져 일으켜 놓아도 다시 무너져 주저앉거나 쓰러진다.

만취는 이에 가까운 죽음의 문턱까지 온 매우 위험한 상태이다. 다시 앞의 이야기, 마시지 않을 때에는 신피질이 제대로 기능하며 이성적인 생각을 함으로써 아내의 행동을 이해하고 욕을 삼간다. 그러나 마시고 취하면 술에 의해 신피질이 마비되고 신피질의 통제에서 풀려난 변연피질의 활동이 평소보다 왕성해져 억제되었던 나쁜 생각이 거친 행동으로 드러난다.

초등학교 교실, 선생님이 없는 교실은 마치 아수라장이다. 그러나 선생님이 교실에 들어오면 순간 교실은 조용해진다. 아이들이 선생님의 통제를 받는 것이다. 여기서 선생님은 신피질, 학생들의 철모르는 행동은 변연피질로 생각하면 이해가 쉽다.

도적같이 침투하는 알코올

보리밭 옆에만 가도 취한다고 주장하는 사람이 있다. 술 냄새에도 취하리만큼 술에 약하다는 이야기이다. 알코올은 실제 섭씨 78.4도에서 끓어오르고 그 이상의 온도에서 휘발한다. 공기 속에 알코올이 호흡을 통해 몸에 스며든다는 주장인데 그것은 어디까지나 사실이다. 영화에서 사람을 납치할 때 강한 마취제를 적신 수건으로 코와 입을 막아 의식불명에 이르게 하는 장면을 보았을 것이다.

알코올은 마시지 않아도 인체에 들어갈 수 있다. 호흡을 통해서 침투되는 것이다. 통상 음식물은 섭취되는 경로가 있다. 음식물을 먹으면 일단 입에서 이빨로 잘게 부수어 침과 함께 섞어 소화되기 쉬운 상태로 만든 다음 식도를 통해 위로 보내진다. 위는 소화 기능만 가지고 있을 뿐 흡수 기능은 없다.

위는 입에서 보내진 음식물을 다시 흡수하기 좋게 위액을 뿜어내어 소화한다. 소화란 섭취한 음식물을 흡수할 수 있는 액체로 만들고 세포에 의하여 이용될 수 있는 단순한 형태로 변화시키는 작용과 과정을 말한다. 이렇게 소화된 음식물은 다시 장으로 보내져 그곳에서 인체가 필요로 하는 영양분을 빨아들이는 흡수가 이루어진다. 흡수되고 남은 찌꺼기는 배설된다. 입을 통해 들어간 알코올도 물론 음식물과 같은 경로를 통과한다.

그러나 크게 다른 점이있다. 그것이 바로 흡수보다 먼저 이루어지는 뚫고 들어가는 침투다. 위의 안쪽에 많은 점막 세포로 형성되어 있는데 위에 들어온 술은 위 점막 세포의 표면을 뚫고 들어가 반대편 세포막을 통해 다시 다음 세포로 침투한다. 알코올이 점막 세포를 통과하는 것이다. 이렇게 점막 세포를 통과한 알코올은 모세혈관의 벽을 통해 혈관 안으로 들어간다. 혈관 안으로 들어간 알코올은 혈관을 타고 흐르는 혈액에 용해되어 체내에 분산된다.

알코올은 이런 과정을 거치면서 위에서 침투된다. 침투 속도는 처음에는 상당히 빠르다. 맥주 한잔을 마시면 4분의 1은 위에서 침투된다. 다른 음식물이 위에서 흡수가 이루어지지않고 소장에서 이루어지는 것과 비교할 때 그 속도란 엄청난 것이다. 그리고 침투 속도는 둔화된다. 마신 술의 양의 따라 다르나 약 30% 정도가 위에서 곧바로 침투된다. 남은 70%는 소장으로 보내져 그곳에서 흡수된다. 소장으로 옮겨진 알코올은 2시간도 채 되지 않아 흡수된다. 물도 흡수되지 않는 위에서부터 침투를 시작한 알코올은 무서운 속도로 사람을 취기로 몰아가 명정의 세계로 몰입하게 한다. 그 만취 상태에서 일어나는 온갖 추태를 우리는 주정이라고 부른다.

술이 암을 부른다

21세기를 살고 있는 우리에게 고혈압이나 당뇨병, 에이즈나 암은 아직도 불치병으로 남아 있다. 알코올은 간암, 담배는 폐암, 술과 담배를 즐기는 사람에게 오는 후두암의 사망률은 비음주 금연자에 비해 20배나 높다고 한다. 알코올에 의한 암 발생 연구는 오래 전부터 있어 왔으나 본격적인 연구는 1964년 레몬에 의해서였다.

그 후 많은 학자들이 알코올에 의한 암 발생에 대하여 연구한 결과 알코올은 암을 유발하는 발암물질임이 증명되었다. 알코올에 의한 암 발생 부위는 구강, 식도, 인두, 후두, 위, 장, 간, 체장, 유방 등 광범위하다. 특히 술과 담배를 함께 하는 사람에게는 더 높은 발생률을 보인다. 술을 마시면 장기의 점막이 상처를 받기 시작한다.

이런 상처는 자극성 있는 음식과 음주를 피하면 곧 회복된다. 그러나 계속되는 음주와 흡연으로 인해 근층까지 손상되면 출혈과 함께 조직이 변이를 일으켜 서서히 암세포로 변해간다. 알코올이 세포에 침투하면 침입한 알코올은 효소를 녹이는 용해액 역할을 하며 효소의 변화를 가져오게 된다.

이런 단계에서 금주하지 않고 술을 계속 마시면 결국에는 활성 발암물질이 되어 서서히 암으로 성장 발육하게 되는 것이다. 대개의 경우 술을 즐기는 사람은 담배도 즐기는 경향이 있다. 담배는 똑같은 발암물질이기 때문에 이 두 발암물질이 합작하게 되면 상승작용을 일으켜 더욱 강력한 발암물질이 된다.

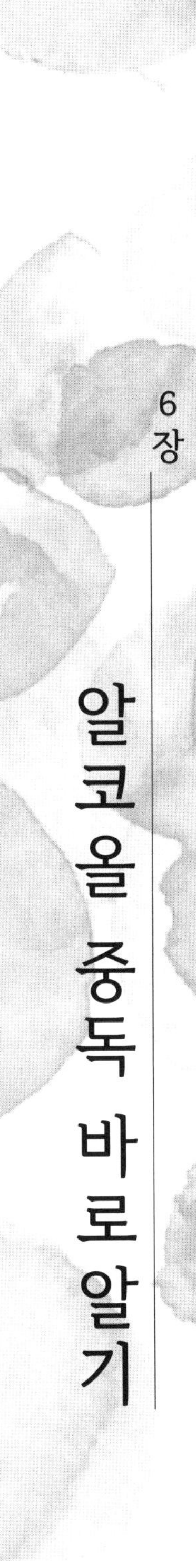

6장

알코올 중독 바로알기

알코올 중독 이렇게 진행한다

1. 처음 술을 마시기 시작할 때는 기분전환을 위해 마신다.
2. 그러나 계속적이지 않고 간헐적이다.
3. 기분전환을 위해 처음보다 조금 자주 마신다.
4. 알코올에 대한 내성이 생기기 시작한다.(주량의 증가)
5. 기억상실이 오기 시작한다. 그러나 자신은 전혀 알아차리지 못한다.
6. 남몰래 술을 마신다. 때로는 벽장, 책상 서랍 같은 곳에 감추어두고 짬짬이 술을 마시는 버릇이 생긴다.
7. 여기서부터 알코올에 의지하고자 하는 의욕이 머리를 들기 시작한다.
8. 음주에 대한 절박감이 일어나기 시작한다. 이 절박감은 술을 따르는 첫잔부터 더욱 강하게 일어난다. 즉, 빨리 마시고 싶다는 생각이 든다.
9. 술을 마시면서 또 술을 마시기 전에 죄의식을 느낀다. 가족이나 친구들에게 대하여 더욱 강하게 느낀다.
10. 당연한 알코올 문제를 누구와도 상의하기를 꺼린다.
11. 기억장애가 점점 더 심해진다.
12. 자기의 음주 행위가 자기와 가족과 타인에게 떳떳치 못한 행위인 줄 알면서도 술을 끊을 수 있는 과단성을 상실한다.
13. 가족이나 친구들에 대하여 자기의 음주 행위가 합당하다는 구실을 언제나 만들어 합리화시킨다.
14. 술을 마시면 성질이 사나워지면서 매사에 공격적인 성격으로 바뀐다.
15. 자신의 음주가 옳지 못하다는 느낌을 갖지만 자기 뜻대로 되

지 않으며 후회감만 품고 있을 따름이다.
16. 술끊기를 시도해 보아도 언제나 용두사미로 끝나고 만다.
17. 술끊기를 약속하거나 결심해보아도 거의 불가능해진다.
18. 남의 눈을 피해 지역 도피를 감행한다.
19. 음주 이외는 아무런 흥미를 느끼지 않는다.
20. 가족이나 친구까지도 기피하는 성격장애까지 일어난다.
21. 실직이 되어도 구직의 의욕이 없고 금전적 곤란에 빠진다.
22. 이유 없이 자주 화를 내며 가족에 대한 애착이 없어진다.
23. 음식을 제때에 먹지 않고 오직 술만으로 만족하며 나아가 영양부족에 빠진다.
24. 열등감, 후회감, 의처증, 거짓말, 합리화, 원망, 분쟁, 불면 등 정신이 황폐해진다.

알코올 중독은 조절능력 상실

알코올 중독은 술을 마시지 않을 경우에는 건강한 사람이나 외형상 조금도 다름없고 잘못된 음주문화 때문에 그 병리 현상을 간과한다. 정상적인 음주자들의 경우, 자신들은 마실 수도 안 마실 수도 있으나 중독의 경우는 그것이 불가능하다.

중독은 이미 뇌신경이 변화되어서 한잔의 술만 마셔도 민감하게 반응하여 더 많은 술을 마시고 싶은 욕구가 항진되며 이 욕구를 제어하지 못한다. 그리하여 중독자는 한번 음주를 시작하면 곡기를 끊고 더 이상 마실 기력이 소진되는 탈진 상태에 이를 때까지 계속 술을 마신다. 그리고 며칠이고 회복기를 가진 다음 신체가 회복되면 다시 마시는 악순환이 계속된다.

정상적인 음주자들은 이런 상태를 경험해보지 못했기 때문에 알코올 중독을 질병이라기보다 의지박약, 결단력 부족, 또는 도덕적 타락 정도로 치부한다. 중독자들은 특유의 심리적 특성상 교묘한 방어기제로 중독을 부인한다. 또한 가족들은 이 병의 특성을 이해하지 못하기 때문에 치료받지 못하고 방치되어 심각한 지경에 이르게 된다. 어떤 한계를 넘어서면 애주가가 중독자로 변한다.

한번 중독자가 되면 음주의 조절이 불가능해진다. 적적량의 음주에서 마시기를 중단하는것도 술을 끊는 것도 불가능해진다. 자신의 음주에 문제가 있음을 인식하여 온갖 방법으로 술을 끊으려 하나 그것은 마음일 뿐 술을 안마실 수가 없는 상황에 이른다. 술의 노예가 된 것이다.

알코올 중독은 진행성 질병

성경은 이미 3천년 전에 잠언서의 기록에서 알코올 중독에 대하여 인류 역사상 이렇게 구체적으로 병의 증상을 기록한 것은 없을 것이다. 3천년 전의 알코올 중독자는 오늘의 알코올 중독자와 동일한 문제와 특징을 가지고 있다. 따라서 중독자가 계속해서 술을 마신다면 그 사람에게 일어날 일을 예견할 수 있으며 그 정확도는 아주 높다. 알코올 중독증이라는 질병의 결과는 홍역과 같은 질병의 예와 견이 가능하다.

어떤 아이에게 홍역 증상이 발견되면 의사는 그 진행 과정을 정확하게 예견한다. 앞으로 3일이내에 아이에게 반점이 나타나고 고

열과 설사와 식욕부진이 동반할 것이라는 의사의 말은 정확하다. 이와 마찬가지로 어떤 사람에게서 알코올 중독증이 발견되면 우리는 그 중독자가 술을 계속 마시는 한 어떤 일이 일어날 것인지를 정확히 예측할 수 있다.

알코올 중독이라는 병에서 이런 예견이 가능한 것은 진행성 질병이기 때문이다. 알코올 중독은 진행성 질병이다. 마시는 한 언제나 갈수록 더욱 악화될 뿐이다. 술을 마시면서 동시에 건강이 더 좋아지는 경우는 절대로 없다. 술을 끊지 못하는 한 상태는 갈수록 더욱 악화된다. 그리고 그 진행의 종착역은 사망이다.

알코올 중독의 초기 증상으로는 처음에는 해방감을 얻기 위해 마시고 그렇게 계속 마셔서 술에 대한 내성이 증가하고 기억 상실이 오고, 술을 몰래 마시기 시작하고, 죄책감을 느끼고, 일시적 기억상실이 빈번해지며 알코올 중독 중기 단계로 들어간다. 이제는 핑계를 대며 술을 마시고, 결국 음주의 조절 능력을 상실하고, 약속과 결심을 지키지 못하게 되고, 술을 조절하려는 노력이 계속 실패하고, 직장과 재정에 문제가 생기고, 먹는 것을 소홀히 하여 육체적 건강에 문제가 발생한다.

전보다 마시는 양이 줄었는데도 취하는 정도가 심해지는 내성의 감퇴가 오고, 죄책감, 수치심, 도덕심이 없어지면서 인격 타락 현상이 나타나고, 며칠이고 계속 마셔 취해 있는 시간이 길어지고, 올바른 서고를 하기 힘들어지고, 알 수 없는 두려움을 느끼기 시작하고, 일을 할 수 없게 되고, 음주에 대한 강박증에 사로잡히고, 완전한 패배를 시인하나 강박적인 음주가 악순환을 거듭하는 말기로 진행된다.

또한 알코올 중독증은 다면적 질병이다. 이 병은 육체적, 정신적 그리고 영적으로 악영향을 끼친다. 그래서 3중병이라 부른다. 몸이 아프면 짜증을 내는 것과 같이 다른 질병에서도 육체와 정신은 서로 작용한다. 그러나 이 병은 그런 정도가 아니다. 알코올로 인해 병변이 오는 것은 정신 또한 병든다.

본능에 가까운 방어기제 때문이다. 그리고 마시는 것에 대한 죄책감 때문에 숨어서 마시고 감춰놓고 마시고, 못 마시게 하는 것을 마시려 하는 과정에서 영혼까지 병든다. 이렇게 이 병은 우리의 생활 전반에 걸쳐 문제를 야기한다. 영혼, 정신, 육체가 손상되는 주된 문제는 신체적 손상이 맨 마지막에 나타나는데 특징이 있다. 그때쯤 가면 이미 말기까지 진행된 상태로 몸은 술로 심각한 손상을 입은 상태가 되어 회복에 어려움을 겪는다.

만약 신체적 손상이 가장 먼저 나타났다면 많은 중독자는 말기까지 가기 전에 해결책을 찾았을 것이다. 알코올 중독자들은 대게 신체적 중독 상태에서 고원현상을 겪는다. 일정 수준의 내성에 도달해서 몇 개월 또는 몇 년씩 그 상태에 머무르는 정체 현상을 경험한다. 그리고 그 상태에서 변동이 온다. 이후에도 계속 술을 마시면 더 악화되는 것을 피할 수 없게 된다. 알코올 중독은 치명적이고 영구적인 병이며 진행성 질병이다. 술을 끊지 못하면 사망이 있을 뿐이다. 그런데 끊는것도 쉽지 않다는데 문제가 있는 것이다.

알코올 중독은 영원한 병인가?

질병에는 면역성이 있는 병과 면역성이 없는 병 그리고 불치병이 있다. 홍역, 천연두와 같은 병은 한번 앓고 나면 항체가 생겨 평생 그 병을 앓지 않는다. 그러나 감기와 같은 병은 평생 수십 번도 더 앓고 낫고 한다. 면역성이 없는 병이어서 낫고 다시 앓고 한다. 또 불치병이 있다. 당뇨병이나 고혈압과 같은 병은 현재로는 치료법이 없어 평생 그 병을 안고 섭생과 치료를 병행하며 살아간다.

알코올 중독은 면역성도 없다. 또 감기와 같이 완치도 불가능하다. 그리고 불치병이며 치명적 질병이다. 한국에는 그런 통계가 없으나 미국의 통계로는 미국인 평균 수명은 78세인 반면 알코올 중독자의 수명은 51세로 조사되었다. 의사들은 알코올 중독자가 술을 끊지 못하고 계속 술을 마신다면 그 중 40%는 5년을 넘기기 어렵다고 한다. 이렇게 무섭고 치명적인 병인 것이다.

알코올 중독증이란 병은 회복은 가능하나 치료는 불가능한 병이다. 여기서 회복이란 마시는 것을 중단(술을 끊게 할 수)하게 할 수 있다는 것을 뜻하며 치료가 불가능하다는 것은 완치하여 중독자가 되기 이전의 상태, 즉 정상적인 음주로 고칠 수 없다는 것을 의미한다. 그래서 한번 알코올 중독자는 영원한 중독자라고 한다. 이 말은 사실이다.

장기간 대량으로 술을 계속 마시면 뇌의 조직에 변화가 와서 한 잔의 술만 들어가도 점점 더 많은 술을 마시고 싶은 욕구가 증진되는데 그 욕구를 억제할 능력이 소실되며, 한번 변화가 온 뇌신경은 다시는 정상으로 회복되지 않는 병이 알코올 중독이라고 의사들은 말한다. 이 말은 면역성도 완치도 불가능하다는 것을 의미한다.

예를 들어보자 30 초반에 음주에 문제가 있다는 사실을 인정한 알코올 중독자가 술을 완전히 끊고 사업에 전념했다. 정말 그 중독자는 20여 년을 한 방울의 술도 마시지 않았다. 당연히 사업에 성공했다. 50대 후반에 사업에서 은퇴한 그는 무료하고 할 일이 없어지자 다시 술 생각이 났다. 조심스레 마시기 시작했으나 오래지 않아 급속히 예전 20년 전의 중독 상태로 되돌아갔다. 그리하여 그는 4년을 넘기지 못하고 죽었다.

주변에 한 중독자는 5년간 술을 완전히 끊었던 사람이었다. 어쩌다 실수로 한잔 마신 술이 그를 놓아주지 않았다. 그는 2년여를 치료기관을 전전했으나 다시 술은 끊어지지 않아 고통을 받고 있다. 어떤 중독자는 2년 남짓 술을 끊고는 이제 다시 마실 수 있는 능력(조절하면서 술을 마실 수 있는 능력)이 되살아난 것으로 착각하여 다시 마시기 시작했다.

교과서대로 술이 체내에 들어가자 잠자고 있던 뇌신경은 예민하게 반응했고, 더욱 많은 술을 마시고 싶은 욕구는 증진되었고, 당연히 이 욕구는 제어되지 않았다. 그는 다시 치료 기관으로 돌아가야 했다.

알코올 중독을 바로 알지 못하는 사람들은 오랫동안 술을 마시지 않으면 술을 마시다 필요할 때 마시지 않을 수 있는 능력, 즉 조절하며 마실 수 있는 능력이 되살아나는 것으로 오인한다. 중독자들의 이런 생각을 우리는 조절망상이라고 한다. 이런 조절망상으로 많은 사람들이 폐인이 되었거나 목숨을 잃었다. 위의 사실로 미루어 우리는 잠복성 질병이라는 사실도 알 수 있을 것이다.

광견병의 경우 미친개에게 물리면 일정 기간 그 광견병 균은 사람의 몸속에 숨어 지낸다. 그러다 일정 기간이 지나면 겉으로 드러난다. 즉, 발병하는 것이다. 이와 같이 알코올 중독이라는 병은 일단 마시지 않으면 언제 그랬냐는 듯이 몸 속에 숨어든다. 그 기간은 마시지 못할 뿐 정상인과 조금도 다름없다. 그러나 한 잔의 술이라도 몸에 들어가면 예민하게 반응하여 진행이 중단되었던 병이 급속히 악화되는 것이다. 그래서 알코올 중독은 영원한 병인 것이다.

알코올 중독 가족들의 증상

1. 기력을 잃음 - 가족 중 암 진단을 받은 사람이 있을 경우 가족 전체의 활력이 없어지는 것처럼 기력을 잃는다.
2. 내성적이 됨 - 사회적 편견 때문에 그런 환자가 있다는 사실을 은폐하려는 심리로 하여 대인관계에서 말이 적어지고 급기야 내성적이 된다.
3. 의심증이 심해짐 - 복잡한 방어기제, 특히 부정 때문에 모든 것을 믿을 수 없게 된다.
4. 복잡한 문제가 발생함 - 실수, 사고, 낭비, 주정 등으로 감당할 수 없는 문제가 일어나기 시작한다.
5. 걱정하게 됨 - 중독자의 행동은 예측이 불가능하기 때문에 언제 어떤 사고를 저지를지 몰라 항상 근심 걱정이 끊이지 않는다.
6. 논쟁거리에 휘말림 - 가족을 보호하려고 그의 행동을 변명하다가 언쟁하는 일이 많아진다.
7. 민감하고 성급해짐 - 성격적 특성 중 하나인 충동적 행동, 충동적 음주에 자극받아 음주에 민감해지고 감정을 통제하지 못해 성급해진다.
8. 불신감이 생김 - 의심증이 깊어져 중독자는 물론 그를 비호하는 누구도 또 자신의 능력도 믿지 않게 된다.
9. 불쌍하다고 느낌 - 중독자는 물론 가족까지 측은히 여기게 된다.
10. 도움을 구함 - 치료를 위한 도움이 아니라 주위 사람들에게 술을 주지 못하게 도움을 청한다. 예를 들어 동네 가게에 술을 팔지 못하게 압력을 가한다.
11. 간섭을 거부함 - 중독자를 가장 잘 아는 사람은 자신이라 생각하고 자신이 술을 끊을 수 있다고 믿으며 도움을 간섭으로 간주

하고 이를 거부하게 된다.

12. 종교적인 욕구가 증가됨 - 술을 끊으려는 자신의 능력, 의학적 치료에도 절망하며 점차 영적인 것에 관심을 갖게 된다.
13. 환상에 빠짐 - 언젠가는 술을 끊고 이전의 행복을 되찾을 날이 올 것이라는 환상에 빠지곤 한다.
14. 무절제하게 됨 - 술을 마시면 화를 주체하지 못해 같이 술을 마시거나 홧김에 밥을 굶기도 하는 등 가정을 돌보지 않는다.
15. 병원에 가나 계속적인 치료가 필요함 - 신경증이 오고, 육체적 질환도 동반된다. 그러나 중독자로 인한 마음의 병이 그 뿌리이므로 증세는 계속된다.
16. 자기방어를 함 - 음주 책임이 자신에게 있다고 무의식적으로 느끼기 때문에 스스로 자신과 가정을 지키려 한다.
17. 흥미감이 상실됨 - 음주 문제에 신경이 과도하게 집중되기 때문에 세상일에 관심이 없어지고 서서히 모든 일에 흥미를 상실한다. 심지어 즐겨보던 TV 드라마도 자신과는 전혀 관계가 없는 딴 나라 이야기 같이 느껴진다.
18. 우울증에 빠짐 - 하루 24시간 즐거운 일이라고 찾아볼 수 없고, 희망까지 상실하여 점점 우울증에 빠지게 된다.
19. 병명이 없는 신경성 질병이 생김 - 근심, 걱정, 울화, 불면 등의 심한 스트레스로 하여 병원을 찾아도 병명을 알 수 없는 신경성 질환이 생기기 시작한다.
20. 매사에 직설적이 됨 - 중독자의 음주에 화를 참지 못하고 감정적으로 대처하던 것이 버릇이 되어 모든 일에 다음을 고려하지 못하고 직설적이 된다.
21. 처방된 약물을 사용 - 불면, 병명을 알 수 없는 질환, 신경증을 견디지 못하여 의사의 처방을 받아 투약을 시작한다.
22. 부정직해짐 - 중독자의 예측할 수 없는 행동 때문에 약속을 지

킬 수 없는 일이 빈번해짐에 따라 거짓에 익숙해진다.

23. 자기 존중감의 상실 - 무력감, 타인과의 비교에서 오는 열등감 등으로 자기를 사랑할 수 없게 된다.
24. 신앙심이 사라짐 - 중독자의 술을 끊어주기 위하여 할 수 있는 온갖 방법을 다 사용해본 가족은 마지막으로 신앙에 의존하나 그도 효과를 얻지 못하면 믿어도 소용없어 하고 신앙을 포기한다.
25. 고집만 부림 - 모든 도움이 효과를 상실하자 믿을 사람은 자신뿐이라는 것을 인식하고 독선적으로 변하기 시작한다.
26. 후회(양심의 가책)하게 됨 - 중독자의 음주 원인의 일부는 자신에게 있다는 인식과 음주시 대처에 정도가 지나쳤음을 인정하고 양심의 가책을 받기 시작한다. 그러나 그것도 그때뿐이며, 곧 같은 행동을 반복한다.

알코올 중독의 방어기제

부정

알코올 중독자 하면 사회로부터 배척 내지 기피인물로 치부되기 때문에 스스로 자신의 알코올 중독을 순순히 인정하지 못한다. 그리하여 “나는 술에 큰 문제가 없어.” 또는 마음만 먹으면 언제든지 끊을 수 있어. 하는 등으로 말하고 또 그렇게 믿고 있다. 이것이 부정이다.

쉽게 순순히 자신의 술 문제를 인정하지 않는다. 그들 모두는 자신은 결심만 하면 쉽게 술을 끊을 수 있다고 믿고, 자신은 중독자가 아니며 오로지 애주가일 따름이다라고 생각한다. 알코올 중독자는 술을 끊을 수 없는 사람이 중독자지 자신은 끊을 수 있기 때문에 중독자가 아니라고 부정한다. 실제 중독자들도 한 달이고 몇 달이고 마시지 않는 경우가 있다. 이걸 훈장처럼 내세워 자신은 중독자가 아니라고 강변한다.

의사도 자신이 병에 걸리면 다른 의사를 찾는다. 그러나 알코올 중독자는 자신이 환자가 아니기 때문에 치료받을 필요가 없다고 주장한다. 그리하여 치료는 물론 진단도 거부하고 방해까지 한다. 전문가들은 아무리 유능한 정신과 의사라 할지라도 평생에 걸쳐 한 사람의 알코올 중독 치료가 불가능에 가깝다고 이야기하는 것이 바로 이런 이유이다.

합리화

알코올 중독의 무서움은 술을 마실 때마다 정서적 대가를 치른다는 점이다. 정신 내면에 폭력이 생기고 정서적인 면은 　기고 파괴된다. 중독자는 폭음에 의해 점차 증가되는 파괴성을 이해하는데 실패하고 의존의 증거는 진행적으로 강화된다. 이러한 감정적인 어려움은 무의식적으로 음주에 대한 강박적인 충동으로 나타난다.

이것은 참을 수 없고 치명적이며 무의식적으로 내면에 침투한다. 중독자는 정서적으로 무서운 감정 변화에 압도되고 이런 감정적 처벌에 저항하기 위해 지적인 방어가 시작된다. 이러한 방어는 질병의 진행과 함께 점차 성공적으로 그리고 지속적으로 사용된다. 시간이 경과할수록 행동은 기괴해지고, 자연스럽게 무의식적으로 완벽에 가까울 정도로 합리화할 수 있게 된다.

그러나 중독자는 이것이 점차적으로 불가능하게 된다. 음주는 반복되고 강박적이며 점차 괴상해지고, 그럼으로써 그들은 점점 더 고통스러워하고 합리화는 이런 진행적인 욕구를 충족시키기 위해 나타난다. 결국 합리화는 더 융통성이 없어지고 완고해진다. 중독자는 자기 파괴적인 음주에 의해 희생되는 것이 아니라 그것을 합리화하는 과정에 의해 희생된다.

투사

투사란 무의식적이면서도 행동으로 옮겨지는 강력한 방어 체계로 자기 혐오를 타인에게 떠넘겨 자신의 부담을 줄이는 과정이다. 중독자는 실제 무엇이 일어나고 있는지 모른다. 그들의 주위의 사람들, 가장 의미 있는 사람과 가장 가까운 사람들이 투사의 대상이 된다. 그는 무의식중에 미운 사람들이 자신을 둘러싸고 있다고 여긴다.

그들이 항상 자신의 일을 간섭하고 자신의 일을 그르쳐 나를 어렵게 만든다고 여긴다. 이런 것은 전반적인 인격과 즉각적인 기분에 따라 다양하게 표현된다. 특히 배우자와 자녀들은 인간적이고 나약하다. 그들은 무엇인가 아주 잘못되고 있다는 것을 알고 있다.

그리고 무엇이(자기혐오가 투사되고 있음)진행되고 있음을 이해하지 못하기 때문에 이런 짐(중독자가 음주 책임을 남의 탓으로 떠넘기는 것)이 부과되면 흔히 죄책감을 느낀다. 그리하여 죄책적 희생자로서 상황을 고치기 위해 환경을 조작하기 시작한다. 배우자는 중독자를 고치기 위하여 각종 사건들이 일어난다. 식사시간을 변동하기도 하고, 감언이설로 속이기도 하고, 사정도 하고, 분노를 터뜨리기도 한다.

그러나 실패가 누적될수록 부적절감이 더 자라고 투사를 더욱 잘하게 된다. 가족들 역시 중독자만큼 심할 정도로 정서적 고통을 당하게 된다. 중독자와 배우자와의 유일한 차이는 중독자는 알코올의 의해 신체적으로 영향을 받으나 배우자는 술을 마시지 않기 때문에 신체적으로 영향을 받지 않는다는 점이다. 그러나 두 사람 모두 환자인 것이다.

기억상실

알코올 중독자의 방어기제인 부정, 합리화, 투사는 자신이 음주에 문제가 있다는 사실을 인정하지 못하게 만든다. 여기에 일시적 기억상실과 쾌의적 회상(기분 좋은 기억)은 중독자가 음주시 무슨 일이 있었는지 정확히 기억할 수 있는 능력을 파괴한다. 일시적 기억상실은 기절이나 정신을 잃은 상태와 의식을 잃을 때까지 술을 마신 상태와 다르다. 일시적 기억상실 기간 동안은 마치 자신의 주변에서 일어나고 있는 일들에 대해 인지하고 있고, 모든 것을 기억하고 있는 것처럼 보일 수도 있다.

그러나 실제로 그들은 그것을 기억해낼 수 없다. 지금까지 알아본 방어기제를 요약하면 알코올에 의존된 사람은 두 가지 요소가 진행적으로 작용함으로써 현실감을 잃게 된다. 그것은 방어 체계와 기억의 왜곡이다. 둘 중 어느 하나만 있어도 판단에 심각한 장애를 초래한다. 중독자는 도움을 받아야 한다. 그러나 완고한 방어체계와 왜곡된 기억이 도움을 거절하게 만든다. 그것들이 자신은 중독자가 아니라고 믿게 하기 때문이다.

알코올 중독은 공동의 병

흡연의 경우, 주위 사람들이 간접 흡연으로 피해를 입는 것은 사실이다. 그러나 주위 사람들이 흡연자의 질병(폐암)으로 정신적 육체적 피해를 입는 것은 아니다. 사망은 흡연자 한 사람의 문제다. 사망으로 인한 고통은 보통 사람과 동일하다.

그러나 알코올중독의 경우는 이와는 문제가 다르다. 알코올중독은 사회병이며, 중독자와 관계된 모든 사람을 병들게 하는 공동의 존증을 유발하는 가족병이라는 사실을 이해하면 문제는 달라진다. 알코올중독은 인간의 인내심을 마치 시험하는 것처럼 보인다.

일단 중독자가 되면 특유의 방어기제인 부정, 합리화, 투사 등을 교묘히 사용하는 과정에서 성격이 왜곡되기 시작하고, 급기야 이기적, 독선적, 자기중심적으로 변한다 이것이 성격결함이 되고, 성격결함이 성격장애로, 성격장애가 인격장애로, 인격장애가 인격붕괴로 발전한다. 만성중독과 말기에 이르면 사람이기를 포기한 듯한 행동도 서슴치 않는다. 마시기 위한 파렴치한 행위, 마신 후의 폭력, 마시지 않을 때 나타나는 마른 주정, 트집잡기, 증오, 원망, 불평 등 그 폐해는 이루 열거할 수 없다.

다른 질병의 경우 질병과 환자를 분리해서 생각하나 알코올중독은 그렇지 못하다. 다른 질병은 환자가 동정 받지만 알코올중독이 미움을 받는 이유가 여기에 있는 것이다. 흡연으로 인한 질병은 환자 개인의 고통으로 끝난다. 그러나 알코올중독은 환자 본인은 물론 그와 관계된 모든 사람을 병들게 하고 파괴하는 무서운 공동의 질병이다.

알코올 중독 금단증상

금연을 결심한 사람들 가운데 금연에 성공한 사람들은 참으로 드물다. 그것은 금연 금단을 이겨내지 못했기 때문이다. 아직 직장에서 퇴출되지 않은 알코올 중독자의 경우를 예로 들어보자, 전날 밤 마신 술이 간의 분해 작용으로 체내에서 소실되면 문제가 발생한다. 소위 금단이 오는 것이다. 헛구역질이 나고, 머리는 아프고, 마셔도 마셔도 갈증은 계속된다. 직장에 출근하여 일을 하려하나 손이 떨려 아무 일도 할 수 없다.

하는 수 없이 해장술에 의존한다. 일단 술 한잔만 들어가면 언제 그랬냐는 듯이 헛구역질도, 두통도, 갈증도, 손 떨림도 거짓말처럼 사라진다. 이런 현상이 계속되면 문제는 심각해 진다. 알코올의 높은 에너지 때문에 식사량이 줄어 영양결핍이 되고, 상처를 입고, 감기도 자주 걸리고, 걸린 감기는 병원의 치료로도 쉽게 낫지 않는다. 비로소 금주를 결심하고 술을 멀리한다.

인체에 들어온 알코올기가 가시면 대개 24시간에서 72시간 사이에 금단증상이 나타난다. 금주를 하면 보통 6-7시간은 무사히 지나간다. 그러나 알코올이 완전 소실되면 금단을 시작한다. 불면, 경련, 발작, 헛소리 등이 나타난다. 헛것이 보이는 환시, 헛소리가 들리는 환청, 벌레가 몸에 기어다닌다고 호소하는 등의 금단 증상이 나타난다.

술을 끊고 3-4일째가 되면 눈을 뜨고 있어도 무엇을 보는지 알 수 없는 인지장애, 견문한 것을 잘못 인지(오인)하는 상태가 나타난다. 잘못된 인식을 바탕으로 행동하기 때문에 제3자는 이해할 수 없다. 열이 나거나 식은땀을 흘리고, 맥박이 빨라진다. 얼굴은 창백해지고, 모발은 거꾸로 서고, 동공이 확대되는 등 이상은 심해진다.

어떤 중독자의 경우 술을 끊겠다고 혼자 치유센터에 간 적이 있었다. 만 하루가 지나자(몸에 술기운이 사라지자)밤이고 낮이고 혼자 있는 숙소 주위를 맴돌며 아내의 기도소리, 찬송소리가 들리는 것이었다. 금단에 관한 상식이 있으므로 이 금단을 이겨야지 하는 생각에 이를 악물고 참아도 금단은 계속 되었다. 하루가 더 지나자, 이번에는 노모와 어린 아들이 산의 숲 속에서 놀고 있는 환시 현상이 나타났다.

문을 열고 나가면 사라지고, 방에 들어와 누우면 다시 나타나고, 산에 불을 지르면 타죽지 않으려 나오겠지 하는 생각에 종이에 불을 붙여 들고 산으로 오르는 미친 짓을 하다가 치유센터 직원들이 병원으로 옮기는 해프닝을 벌인 일도 있었다고 한다. 이런 현상은 며칠간 계속되다 사라진다. 금단 기간 동안 폐렴을 일으키거나 싸우거나 어디에 부딪쳐 상처를 입거나 고열이 내려가지 않아 탈수 상태에 빠지거나 할 때 방치하면 10명 중 한두 사람은 사망에 이르기도 한다.

알코올 중독의 회복 과정

알코올 중독 회복에는 세 가지 과정 혹은 세 가지 개념이 있다는 것을 이해하는 것이 중요한다. 이 과정에는 해독 과정, 재활 과정, 재생 과정이 있다.

해독 과정

해독이라는 말은 술을 완전히 끊어 건강하게 한다는 뜻이 있다. 이 단계에서는 신체적인 면을 우선적으로 다룬다. 술을 완전히 끊고 72시간이 지나야 알코올이 혈류에서 빠져나온다. 그리고 뇌가 정상적인 크기로 환원되는데 약 1개월이 소요된다. 혈액 속에 알코올이 제거되고 팽창되었던 뇌가 환원되었다고 해독이 1개월 안에 완전히 끝나는 것이 아니다. 과음을 경험한 많은 사람들은 몇 년 동안 위축감을 경험할 수 있다.

또 어떤 사람은 정신적 기능이 정상으로 완전히 회복되지 못하는 경우도 있다. 가장 효과적인 치료 프로그램에서 실시하는 해독 과정은 운동과 휴식 그리고 적절한 영양 공급이 포함되어야 한다. 이것은 치료가 끝나고 걷게 되는 새로운 인생 길에서도 계속되어야 한다. 신체적인 안정을 위해 반드시 필요로 하는 것이므로 회복 초기에는 필수적이다. 해독과 영양이 충분히 이루어지면 신체의 여과 체계 기능이 정상적으로 재개되고 한결 기분이 좋아지는 것을 느끼게 된다.

의존성과 관련된 신체적 강박증 내지 갈증과 기타 삶을 파괴하는 갖가지 문제들이 완화되는 것을 느낄 것이다. 그러나 이 회복 과정에서 매우 주의해야 할것이 있다. 이제 문제는 끝났다는 생각이다. 이제 기분이 좋아졌으니 나는 완전히 회복된 것이라는 생각이 강하게 들면서 '방탕한 사고'가 없어졌다고 판단하는 것이다. 그러나 이것이 끝이 아니다. 기분은 한결 나아졌으나 해독 과정의 첫 단계일 뿐이다.

재활 과정

재활이란 글자 그대로 중독되기 이전 상태로 회복하는 것을 의미한다. 해독 과정이 신체적인 상태를 건강한 상태로 회복시켰다면 재활 과정은 마음의 상태를 건강한 상태로 회복시키는 것이다. 우리의 마음은 지, 정, 의로 구성되어 있다. 재활의 목적은 바로 지성, 감정, 의지가 중독 이전의 상태로 돌아가는 것이다.

완전한 회복이 이루어지지 않는 금주 상태를 경험한 중독자의 가족들은 술을 마시지만 않을 뿐 말이나 행동은 마시던 시절과 동일하던지 아니면 더욱 심해져서 견딜 수 없다고 호소한 경우가 많다. 이것은 지, 정, 의가 회복되지 않았음을 의미하는 것으로 효과적인 치료 프로그램의 중요성을 시사해 준다. 우리의 사고 방식이 우리가 느끼고 행동하는 방식을 결정짓는다. 중독으로 말미암는 파괴적인 행동들이 누적되면서 우리는 심각한 정신적 오염을 가중시켰다. 그리고 이러한 오염은 우리의 사고 방식을 손상시켰다.

진정한 재활은 강박적이고 삶을 파괴하는 온갖 행동 이전에 있었던 성숙과 안정과 책임 있는 사람으로서의 모습으로 회복시키는 것이다. 더 나아가 우리가 필요로 하는 것은 옛날 상태로 돌아가는 것이 아니라 새로운 출발을 하는 것이다. 이전에 알지 못했던 새로운 차원의 세계로 우리의 걸음을 옮겨 성장하는 것이다.

재생 과정

재생이란 새사람이 되는 것을 의미한다. 술을 완전히 끊고 재활 과정을 거쳐 재생 과정을 걷는 중독자는 사람들로부터 사람이 완전히 변했다는 소리를 듣는다. 성격이 변하고 말이 변하고 행동이 변하고 가치관 인생관이 변한다. 성경에서 이야기하는 것처럼 '이전 것은 지나갔으니 보라 새 것이 되었도다'가 실현된 것이다.

해독 과정은 우리의 몸에 관한 것이고 재활 과정은 우리의 마음에 관한 것이며 재생 과정은 우리의 인격 즉 육과, 혼과, 영을 강조한다. 중독자들은 자신의 삶을 파괴하는 갖가지 문제를 극복하기에 무력하다. 이 무력감을 극복하고 삶의 온전함을 영위하는데 가장 효과적인 것이 종교이다. 중독자들의 재생에 있어서 기독교 신앙을 간과할 수 없을 것이다.

중독을 이긴 사람들

초판 인쇄 2021년 02월 15일

지은이 박우관
펴낸이 박우관
편 집 조정자
마케팅 박상길
펴낸곳 지름길

주 소 경기도 포천시 신북면 삼성당1길 12-5
등 록 2020년 09월 02일 제 2020-000003호
전 화 031-533-0675
팩 스 031-533-0677
이메일 vipsm520v@hanmail.net

ISBN 979-11-97322-41-9 13330
값 12,000원